HANDBUCH
für
LEBENSBERATER

Walter Lübeck

HANDBUCH
für
LEBENSBERATER

Ganzheitliche Lebensberatung
Individuelle und neue Wege zu Glück,
Gesundheit und Erfolg

WINDPFERD

Die in diesem Buch angeführten Informationen sind sorgfältig recherchiert und nach bestem Wissen und Gewissen weitergegeben worden. Gleichwohl übernehmen Verlag und Autor keinerlei Haftung für Schäden irgendeiner Art, die direkt oder indirekt aus der Anwendung oder Verwertung der Angaben in diesem Buch entstehen. Die Informationen in diesem Buch sind für Interessierte und zur Weiterbildung gedacht und nicht als Therapie- oder Diagnoseanweisungen im medizinischen Sinne zu verstehen.

Noch ein Hinweis: In diesem Buch verwende ich durchgehend „männliche" Bezeichnungen, wie „der Lebensberater" und „der Klient". Dies soll keine Diskriminierung von Frauen sein, sondern dient der besseren Lesbarkeit. „Die Klientin/der Klient" und ähnliches macht jeden Satz zu einem Wortungetüm. Ich bitte dafür um Verständnis. Die maskuline Form habe ich gewählt, weil ich nun Mal ein Mann bin. Frauen mögen als Autorinnen die weibliche Variante bevorzugen.

1. Auflage 1996
© by Windpferd Verlagsgesellschaft mbH, Aitrang
Alle Rechte vorbehalten
Umschlaggestaltung: Kuhn Grafik, Digitales Design, Zürich
Lektorat: Uwe Hiltmann, Niedernhausen/Ts.
Illustrationen: Heike Cobaugh, Wiesbaden; Uwe Hiltmann, Niedernhausen/Ts.
Layout und Satz: *panta rhei!* – MediaService, Uwe Hiltmann, Niedernhausen/Ts.
Herstellung: Schneelöwe, 87648 Aitrang

ISBN 3-89385-172-0

Printed in Germany

Inhaltsverzeichnis

Danksagung

Meinen Psychotherapeuten Renate Lorke und Wolfgang Grabowski habe ich es neben vielem anderem zu verdanken, daß ich während vieler Jahre eine Unmenge wichtige Einsichten in die lebendige Beratungspraxis bekommen habe. Meine Frau Greta Bahya und mein Freund Bernhard Kornstedt begleiteten mich bei dem Vorhaben, die in der Psychotherapie gesammelten Erfahrungen in den Bereich der spirituellen Persönlichkeitsentwicklung und der feinstofflichen Energiearbeit umzusetzen und gaben mir so Unmengen an essentiellen Anregungen und Einsichten. Mein Sohn Julian sorgte durch eine ausgeklügelte Beschäftigungstherapie dafür, daß ich mich auf das Wesentliche beim Schreiben des Buches konzentrieren mußte. Vielen Dank für diesen wichtigen Lernprozeß.

AC/DC, Salt'n Peppa, Tick-Tack-Toe, Merlins Magic, Ralf Eugen Barttenbach, Doro, Tänzers Traum, Mozart und Kurt Buschwald hielten mich in den langen, durchtippten Nächten wach, im Rhythmus und im Fluß.

Vielen Dank auch an Oma Krefft für kreatives und liebevolles Babysitting, an Tara, Sai Baba, Freya, Thor, Baldur und viele andere nette Spirits für Schutz, Hilfe und Führung.

Besser als die Unwissenden sind die, die Bücher lesen;
besser als diese sind die, die das Gelesene behalten;
noch besser sind die, die es begreifen;
am besten sind die, die an die Arbeit gehen
und das Gelesene anwenden.

Einleitung oder „Was ist ein Lebensberater"?

Es gibt immer mehr Menschen, die sich „Lebensberater" nennen und mit ihren Dienstleistungen die Lücke zwischen der Versorgung durch Mediziner und Psychotherapeuten einerseits sowie Schulen, Universitäten und anderen herkömmlichen Bildungs- und Beratungsinstitutionen andererseits schließen. Dieser neue Berufsstand entwickelte sich parallel zu etwas, das ich „Seminarkultur" nenne.

Enttäuscht von der Schulmedizin, die eher zur Versorgung von akuten gesundheitlichen Problemen taugt, und dem immer noch im großen und ganzen stockkonservativen Bildungsangebot der öffentlichen Träger machten sich Millionen von Menschen auf den Weg.

> **Millionen Menschen machen sich auf den Weg in die Neue Zeit**

Sie begannen in Seminaren und Workshops, die größtenteils aus eigener Tasche bezahlt und in der Freizeit besucht werden, zu lernen, ihre Probleme ganzheitlicher zu verstehen und eigenständiger zu lösen.

Ein immer reichhaltiger werdendes Angebot an einschlägigen Büchern und Tonträgern unterstützt diese Bewegung. Parallel dazu erfuhr die institutionalisierte Naturheilkunde einen deutlichen Aufschwung. Ärzte für Naturheilverfahren, Ärzte für klassische Homöopathie und Heilpraktiker verzeichneten in den letzten Jahren einen verstärkten Zulauf. Viele Vertreter der Schulmedizin und auch eine Reihe von Krankenkassen begannen daraufhin, die Naturheilverfahren ernster zu nehmen und in ihre Tätigkeit zunehmend

> **Selbst Schulmediziner öffnen sich nun für die ganzheitlichen Heilungsmethoden**

einzubeziehen. Seit kurzem sind sogar in Deutschland naturheilkundliche Themen in die Ausbildung von Medizinern als Pflichtfächer integriert worden.

Nun sind aber sehr viele Schwierigkeiten im Leben gar keine oder noch keine Krankheiten im medizinischen Sinne.

Außerdem ist der Rahmen der medizinischen Versorgung nicht unbedingt geeignet, alternative Verfahren zur Verbesserung der Lebensqualität in für den Klienten wirklich passender Form zur Anwendung kommen zu lassen.

Im Gegensatz zur medizinisch orientierten Behandlung findet in der Praxis der Lebensberatung neben der Betreuung durch den Berater auch sehr häufig eine Art von mehr oder weniger formaler Ausbildung in unterschiedlichen Methoden zur Verbesserung der Lebensqualität statt. Lebensberater geben deswegen häufig Seminare oder Workshops für ihre Klienten, damit diese eigenständiger die Krisen bewältigen können, die nun mal zum Leben gehören. Neben aktiven Formen von Energie- und Körperarbeit, wie Reiki, Ritualen, Kinesiologie oder Feldenkrais werden ganzheitliche Techniken der Informationsbeschaffung, beispielsweise Astrologie, I Ging oder Tarot studiert. Ebenso werden geistige Grundhaltungen und oft sogar komplette Weltmodelle erklärt und der Umgang mit ihnen geübt, damit das Leben aus einer Perspektive erfahren und bewertet wird, die grundsätzlich problemmindernd, leidverhindernd, entwicklungs- und heilungsfördernd wirkt. Diese Art der Lebensschule schafft nachhaltige Erfolge und bewegt dadurch auch andere zum Mitmachen.

Kein Wunder, daß die immer mündiger werdenden Bürger ihr Schicksal zunehmend selbst in die Hände nehmen, statt dem behäbigen, uneffektiven und ewig rückständigen Staat oder den christlichen Kirchen weiterhin die Bewältigung der gesundheitlichen und sozialen Schwierigkeiten zu überlassen. Das Human Potential Movement aus den USA., die Hippiebewegung mit ihrem Interesse an fernöstlicher Philosophie und Esoterik, aber auch die seit einiger Zeit in jedem westlichen Staat anzutreffenden politischen Umweltschutzbewegungen trugen mit zum Entstehen dieser neuen, sich dynamisch ausbreitenden Subkultur bei. Im Moment (1996) scheint aus der Randgruppe langsam aber sicher eine der gesellschaftlichen Hauptströmungen zu werden.

Viele nehmen ihr Schicksal selbst in die Hand

Die in den Kursen und Seminaren neu erworbenen Fertigkeiten wurden in der Folge mit großem Erfolg angewendet. Dies verschaffte neuen und klassischen alternativen Methoden wie Kinesiologie, Polarity, Yoga, Reinkarnationstherapie, Autogenes Training, Reiki, NLP, Bioenergetik, Feldenkrais, Schamanismus, Meditation, Tarot, I Ging, Astrologie, Aroma-, Edelstein- und Bachblütentherapie eine schnell steigende Akzeptanz in breiten Kreisen der Bevölkerung. Bald schon begannen dann einige, der wachsende Nachfrage nach Beratungen in diesen Bereichen zu entsprechen und machten sich haupt- oder nebenberuflich als Lebensberater selbständig. Waren zu Anfang noch eher Spezialisten anzutreffen, die sich nur in ein oder zwei Methoden gut auskannten, entstanden mit der Zeit immer mehr Praxen, die mit einer individuell zusammengestellten Mischung von Methoden arbeiteten oder auch selbst Neues kreierten. Keines der herkömmlichen Berufsbilder deckt diese auf den ersten Blick unglaublich breite Palette von Angeboten ab. Trotzdem gibt es Gemeinsamkeiten, über die sich das Berufsbild des Lebensberaters definieren läßt.

> **Der Beruf des Lebensberaters entstand als Antwort auf die Mängel des herkömmlichen Gesundheitssystems**

Ich bin selbst seit etwa neun Jahren in dem Bereich Lebensberatung tätig, habe diverse Ausbildungen absolviert, vielschichtige praktische Erfahrungen gesammelt und bilde nun seit einigen Jahren Lebensberater und Seminarleiter aus. Bei der Konzeption dieser Ausbildung war es mir wichtig, methodenübergreifende Gemeinsamkeiten des Berufsbildes „Lebensberater" zu definieren. Denn egal mit welchen Mitteln ein Berater arbeitet, es sind insgesamt immer wieder ähnliche Bedürfnisse, die Klienten zu ihm führen. Wichtig finde ich weiterhin, den Unterschied zur medizinischen Betreuung herauszuarbeiten, damit keine ethischen und juristischen Probleme entstehen. Letzteres kann aber in dem vorliegenden Buch nur ansatzweise geschehen, da das Thema sehr umfangreich ist. Ich verweise deswegen auf das exzellente Werk „Rechtshandbuch für Heiler" (siehe Anhang II: „Kommentierte Bibliographie"), in dem alle nötigen Informationen auf aktuellem Stand von einem erfahrenen Juristen gesammelt und erklärt zu finden sind.

Ein Lebensberater ist kein Mediziner

Im nachfolgenden Kasten habe ich gemeinsame Merkmale des Menschentyps zusammengestellt, der sich heute mit alternativen und spirituellen Themen beschäftigt und schwerpunktmäßig den Kundenkreis der Lebensberater darstellt.

Merkmale des Klientenkreises von Lebensberatern

➤ Sehnsucht nach einem sinnvollen, nicht allein materiell ausgerichteten Leben
➤ Bevorzugung von naturheilkundlichen Diagnosen und Therapien im Krankheitsfall
➤ grundsätzliches Interesse an esoterischem Gedankengut
➤ der Wunsch, das eigene Schicksal selbst bestimmen zu können
➤ die Neigung, informelle, herzliche Beziehungen zu anderen Menschen zu unterhalten und viel Wert auf Gefühle zu legen
➤ Interesse an den Gesetzen und dem tieferen Sinn des Lebens und dem Aufbau des Universums
➤ generell hohe Lernbereitschaft
➤ die Überzeugung, keine Symptome überdecken, sondern die Wurzeln von Problemen heilen zu wollen.

Meiner Auffassung nach besteht die Aufgabe der Lebensberatung in erster Linie darin, aufgeschlossenen Menschen Hilfen bei der Pflege und Erhaltung der psychischen Gesundheit zu geben. Dazu gehört sicher auch, wie schon oben

dargestellt, die Vermittlung ganzheitlicher Lebenswegs-
konzepte in Theorie und Praxis. Natürlich ist auch die Ausbildung eigenverantwortlichen Denkens und Handelns in
diesem Zusammenhang wichtig und auch ein Verständnis
des Lebens als permanentem Lern- und Wachstumsprozeß sowie die Aufgabe von Neid, Angst, Gier und destruk-
tiven Ausdrucksformen von Aggressionen zugunsten eines
tiefen, konstruktiven Gefühls von Verbundenheit mit dem
Rest der Schöpfung.

Um dies alles bewirken zu können, muß über Bewußt-
seinserweiterungsprozesse eine klarere, umfassendere Einsicht in das eigene Leben und seine Muster, aber auch das
Leben insgesamt geschaffen werden.
Bei der Lebensberatung geht es also
schwerpunktmäßig um pädagogische
und psychohygienische Maßnahmen.
Weiterhin ist es aber auch eine zentrale
Aufgabe des Lebensberaters, seinen
Klienten Informationen bereitzustellen
und Verbindungen zu anderen Fachleuten und Institutionen zu schaffen, damit Schwierigkeiten möglichst schnell

> **Bei der Lebens-
> beratung geht es
> schwerpunktmä-
> ßig um pädagogi-
> sche und psy-
> chohygienische
> Maßnahmen**

und effektiv bewältigt werden können. Mehr zu dem über-
aus wichtigen Thema „Vernetzung", also dem Arbeiten im
engen Kontakt mit Vertretern angrenzender Bereiche, ist
weiter unten zu finden.

Meistens besteht der Einstieg in eine längere Lebensberatung darin, zuerst die eigentlichen Schwierigkeiten
herauszuarbeiten. Ist also zum Beispiel wirklich der mangelnde berufliche Erfolg das Problem oder ist es eigentlich
der Wunsch, geachtet und geliebt zu werden? Dann wird
mit dem Klienten geübt, Überbelastung und für ihn schäd-
liche Umwelteinflüsse zu erkennen und diesen wachs-
tumshemmenden Faktoren in für ihn und den ihn betreffenden sachlichen Verpflichtungen angemessener Form
auszuweichen. Wer etwa vier zeitfressende Ehrenämter und
einen Vollzeitjob hat, wird einfach kaum Zeit und Kraft für
eine erfüllte Partnerschaft haben. Wird aber versucht, die

Wünsche, die Menschen zu Lebensberatungen motivieren

➤ eine Arbeit auszuüben, die dem persönlichen Lebenssinn entspricht
➤ insgesamt im Leben glücklicher werden zu wollen; mehr Lebensqualität zu erlangen
➤ zu verstehen, warum aus ganzheitlicher Sicht eine bestimmte schwere Erkrankung eingetreten ist und zu lernen, das Leben insgesamt so zu ändern, daß diese Gründe harmonisiert werden
➤ sich wieder kräftig, energiegeladen, wach und ausgeglichen zu fühlen
➤ den persönlichen Sinn des Lebens zu finden und verwirklichen zu lernen
➤ Gefühle und Körperlichkeit stärker und harmonischer erleben
➤ mit Beziehungen zu anderen Menschen besser umgehen können
➤ erfolgreicher im Beruf werden
➤ selbst etwas für die Gesundheit tun können
➤ Lern- und Konzentrationsschwächen beseitigen
➤ mit spirituellen Erfahrungen umgehen und diese verstehen lernen
➤ sich besser entspannen können

Überbelastung in diesem Beispiel durch eine Halbtagesstelle statt der Ganztagesstelle abzubauen, damit am Abend noch genug Zeit für die Kassenführung des Zwergdackelzüchtervereins da ist, würden die sachlichen Verpflichtungen nicht angemessen berücksichtigt. Einher geht damit die verstandesgemäße Berichtigung und gefühlsmäßige Bewältigung von Ansichten und Verhaltensweisen, die seine Lebensqualität negativ beeinflussen. Im letztgenannten Fall könnte dies die Ansicht sein, ein guter, liebenswerter Mensch müsse so viele Ehrenämter als nur möglich ausüben, selbst wenn sein Privatleben und seine Arbeit dabei buchstäblich auf den Hund kommen.

Je weiter die Bewältigung der akuten Schwierigkeiten des Klienten, zum Beispiel einer neuen Arbeitsstelle, voranschreitet, desto mehr tritt der Aspekt der Lebensschule in den Vordergrund. Darunter verstehe ich die Erarbeitung eines individuell passenden Lebenskonzeptes für den Klienten und der zu dessen Verwirklichung nötigen Fähigkeiten und Kenntnisse. So wird ein sicheres Fundament geschaffen, das geeignet ist, ihn auch in schwierigen Situationen zu stützen und eine konstruktive, glückliche und im ganzheitlichen Sinne erfolgreiche Bewältigung von Herausforderungen zu ermöglichen. Im Fall der Arbeitslosigkeit wäre das etwa, zu verstehen, welche tatsächlichen Gründe die Arbeitslosigkeit bedingten und wie in Zukunft grundsätzlich anders mit dem Thema „Beruf" umgegangen werden kann, um Phasen ungewollter Arbeitslosigkeit zu verhindern.

> Lebensberater sind Lebenslehrer

Lebensberatungen sind in erster Linie für Menschen geeignet, die entspannter und effektiver mit Lebenskrisen fertigwerden wollen. Es geht darum, die Lebensqualität nachhaltig zu erhöhen und mehr in Einklang mit dem individuell passenden Sinn, dem Lebensplan, zu kommen. Natürlich gibt es des öfteren Überschneidungen mit medizinischen Fällen. Hier ist der Berater aufgefordert, seinen Klienten auf die Notwendigkeit einer entsprechenden Behandlung hinzuweisen und nicht den Eindruck einer medizinischen Kompetenz zu erwecken. Mir sind allerdings viele Fälle bekannt, in denen gerade die verantwortungsbewußte Zusammenarbeit von Medizinern verschiedener Fachrichtungen und Lebensberatern den Ausschlag für die erfolgreiche Heilung schwieriger seelischer oder körperlicher Probleme gab.

> Im Einklang mit dem Lebensplan

Im Gegensatz zur Lebensberatung haben die medizinisch orientierte Psychotherapie und die Psychiatrie die Aufgabe, Menschen, die an schwerwiegenden seelischen Störungen leiden, zu behandeln. Hier geht es um die Behandlung kranker Menschen, die sich aus eigener Kraft nicht mehr im Leben zurechtfinden können, nicht um prinzipiell Gesunde, die einfach nur besser mit Lebenskrisen, die eigentlich zum Alltag eines jeden gehören, fertig werden wollen.

Welche Mittel im einzelnen bei einer Lebensberatung angewendet werden, ist einzig und allein abhängig von der Ausbildung des Beraters. Praktisch immer finden zusätzlich Gespräche statt. Ansonsten werden Methoden von A wie Autogenes Training über N wie NLP bis Z wie Zen angewendet. Für alle diese vielen wunderbaren Wege, die Lebensqualität zu steigern, möchte ich in dem vorliegenden Buch ein Rahmenkonzept vorstellen, das den Lebensberatern die Arbeit erleichtert und ihren Klienten noch mehr Erfolge bringt.

Kapitel I

Ausbildungen für Lebensberater

Ganz am Anfang steht natürlich die Qualifikation für die später angestrebte Tätigkeit. Dabei muß berücksichtigt werden, daß der Beruf des Lebensberaters unreglementiert ist. Es gibt bisher keine direkt dafür zugeschnittenen gesetzlichen oder standesrechtlichen Bestimmungen in bezug auf Ausbildung oder Berufsbild*. Gerade deswegen möchte ich an dieser Stelle etwas näher auf diese Themen eingehen. Denn wenn es kaum äußere Rahmenbedingungen gibt, muß jeder selbst nach bestem Wissen und Gewissen für Art und Umfang seiner Ausbildung und die Weise, wie er mit dem Beruf korrekt umgeht, sorgen. Dies hat

> **Das Berufsbild des Lebensberaters ist vielseitig – und unreglementiert**

den Vorteil großer kreativer Freiräume – aber auch den sehr entschiedenen Nachteil, daß größere Anstrengungen unternommen werden müssen, um herauszufinden, was denn für die Arbeit nötig ist und was nicht. Ich hoffe, daß das Studium des vorliegenden Buches einiges zu dieser Orientierung beitragen kann.

---

* In Österreich gibt es den „Lebensberater" als gesetzlich geschützten Beruf mit einer festen Ausbildungs- und Tätigkeitsregelung. Im Prinzip handelt es sich hier jedoch um einen nicht-akademisch ausgebildeten Psychotherapeuten.

Persönliche Voraussetzungen

Ähnlich wie bei dem Beruf des Heilpraktikers sollte ein Lebensberater mindestens um die 25 Jahre alt sein. Es ist sicher kein Problem, bereits wesentlich früher mit einer entsprechenden Ausbildung zu beginnen, aber bevor jemand andere Menschen bei der Bewältigung von Krisen helfen kann, muß er erstmal selbst einiges erlebt und verdaut haben. Nur ein gewisser Teil des Know-Hows der Lebensberatung läßt sich „am grünen Tisch", also in Ausbildungen erlernen. Meiner Ansicht nach ist eine breite Palette von Lebenserfahrung eine unabdingbare Voraussetzung für diese Tätigkeit.

> **Ein Lebensberater braucht viel Lebenserfahrung – und eine gute Ausbildung**

Persönliche Voraussetzungen für
den Beruf des Lebensberaters

➤ **mehrjährige Psychotherapie oder ähnliches**
Warum: Aufarbeitung persönlicher Problemfelder, praktische Erfahrung mit Beratungen und der Bewältigung von Lebenskrisen als Betroffener. Einlassen-Lernen in einer therapeutischen Beziehung.
➤ **Hauptschul-, besser Realschulabschluß**
Warum: gute Allgemeinbildung; siehe auch dort.
➤ **Teilnahme an Diskussionsgruppen**
Warum: Training im sprachlichen Ausdruck und zur Förderung der Allgemeinbildung.
➤ **Teilnahme an Selbsthilfegruppen**
Warum: viel praktische Erfahrungen mit Menschen in Lebenskrisen und eine Erweiterung des Horizontes. Es gibt kaum bessere Gelegenheiten, Vorurteile abzubauen und zu lernen, wie sich Lebenskrisen bemerkbar machen und auch, wie sie realistisch zu bewältigen sind.

> **eine umfassende Allgemeinbildung**
> *Warum:* nur auf der Grundlage einer soliden Allgemein-
> bildung läßt sich effektiv Lebensberatung betreiben.
> Es ist leichter, Verständnis für die unterschiedlichen
> Klienten und Ideen bezüglich ihrer Beratung zu bekom-
> men. Lesen von Büchern und Zeitschriften, der regel-
> mäßige Besuch von Volkshochschulkursen, Semina-
> ren und das Interesse am Zeitgeschehen fördern die
> Allgemeinbildung und helfen dabei, sich in der Gegen-
> wart gut auszukennen.
>
> **eine gute Allgemeinbildung in bezug auf Esoterik und
> alternative Heilweisen**
> *Warum:* wer als Lebensberater ständig nachfragen muß,
> weil er nichts mit Begriffen wie „NLP", „Makrobiotik",
> „New Age", „Morphogenetisches Feld", „Channeln",
> „Orakel" oder „Chakra" anfangen kann, vergeudet viel
> Zeit und hat es mitunter schwer, die Gedanken und Ge-
> fühle seiner Klienten angemessen nachvollziehen zu
> können. Ein Lebensberater muß nicht in allen Berei-
> chen der Esoterik oder der alternativen Medizin genau
> Bescheid wissen. Aber er sollte die wichtigsten Begriffe
> und Methoden kennen und grob einschätzen können.
> Eine Hilfe dazu sind auch die mittlerweile reichlich vor-
> handenen Nachschlagwerke. Einige davon sind im An-
> hang II: „Kommentierte Bibliographie" aufgeführt.

Eine weitere wichtige persönliche Voraussetzung ist eine
mehrjährige Psychotherapie oder die Teilnahme an mehreren therapeutisch orientierten Jahresgruppen auf Seminar-
basis. Wer anderen helfen möchte, sich mit den Herausforderungen des Lebens besser auseinandersetzen zu können,
sollte sich eingehend mit den eigenen Ängsten, der eigenen Gier, dem Neid, der Aggression, Trauer, enttäuschten
Liebe und dergleichen mehr unter kompetenter Anleitung
beschäftigt haben. Menschliche Werte lassen sich nur begrenzt in Ausbildungen zur Reife bringen. Leider erlebe ich
es häufig, daß über diesen Aspekt nur wenig Klarheit besteht. Wenn eine Ausbildung begonnen wird, um in erster

Linie persönliche Probleme zu therapieren, ist der Mißerfolg schon von vorneherein vorprogrammiert. Zur Aufarbeitung persönlicher Probleme eigenen sich lang angelegte Lebensberatungen, wenn grundsätzlich ein Zustand seelischer Gesundheit vorhanden ist oder eine Psychotherapie, wenn ernstere Disharmonien bestehen. Eine Ausbildung hat andere Schwerpunkte, nämlich die Vermittlung von Fähigkeiten und Kenntnissen – nicht die Durcharbeitung persönlicher Probleme. Einige mir bekannte Ausbildungen zum Lebensberater berücksichtigen diese Zusammenhänge und empfehlen zusätzlich Psychotherapien oder langfristig angelegte Lebensberatungen. Andere Ausbildungen überlassen die Regelung dieser Angelegenheit jedem selbst.

> **Wer Angst vor den eigenen Schatten hat, kann anderen nicht dabei helfen, Licht in ihr Leben zu bringen**

Welche Ausbildungen eignen sich als solider Hintergrund für den Beruf des Lebensberaters?

Es ist unmöglich, diese Frage einfach durch die Nennung von Lehrmethoden zu beantworten. Ich möchte stattdessen lieber einige inhaltliche Punkte nennen:

➤ Eine Ausbildung sollte mindestens ein bis zwei Jahre dauern und im wesentlichen bei einem Lehrer oder einem Institut absolviert werden. Nur in einer länger andauernden Lehrer-Schüler-Beziehung lassen sich die Fertigkeiten und Kenntnisse so vermitteln, daß sie später eigenständig, verantwortungsbewußt und kreativ gehandhabt werden können. Es ist sicher sinnvoll, auch mal „über den Zaun zu schnuppern" und sich bei anderen Referenten Anregungen zu holen, aber der Kern der Ausbildung sollte schon in einer festen Beziehung absolviert werden. Holen sich Menschen bei vielen verschiedenen Lehrern ihre Kenntnisse zusammen, entsteht oft ein eher technisch geprägtes Verständnis des Stoffes und des Persönlichkeitsentwicklungsprozesses. Die persönliche Betroffenheit, die Erfahrung, das gefühlsmäßige Einlassen fehlt einfach. Diese Themen können nur vermittelt werden, wenn ein Ausbilder einen Schüler lange kennt und ihn auf persönliche Vorbehalte aufmerksam macht, die eine echte, lebendige Aneignung des Stoffes behindern. In dreiwöchigen Intensivkursen mit danach ohne echte Prüfung verteiltem Abschlußzertifikat kann höchstens ein kleiner Einblick in den Stoff geschaffen werden. Eine praxistaugliche und in die Persönlichkeit integrierte Aneignung der Inhalte ist in einem so begrenzten Rahmen unmöglich.

> **Zu viele Lehrer können verwirrend wirken**

➤ Der Ausbilder sollte selbst bereits mehrere Jahre in eigener Praxis tätig sein und eine längere Psychotherapie oder Ähnliches absolviert haben. Ein Ausbilder von Lebensberatern, der selbst gerade erst ein halbes Jahr beraterisch tätig ist und sich noch mit den Anfangsschwierigkeiten herumschlägt, verfügt einfach nicht über genug Hintergrund, um anderen eine solide Berufsgrundlage zu vermitteln. Wer sich darum drückt, in therapeutischen Beziehungen an der Aufklärung und Heilung seiner persönlichen Schwierigkeiten zu arbeiten, wird seine unbewältigten Konflikte in vielen Fällen an seinen Schülern auslassen und diese Fehltritte oft noch als „Probleme der anderen" etikettieren.

➤ Es sollte ein festes Ausbildungskonzept existieren, das der Schüler vor Beginn seines Trainings einsehen und mit dem zukünftigen Lehrer diskutieren kann, falls Teile davon für ihn unverständlich sind. Preise und Leistungen sollten möglichst genau vereinbart werden. Die Termine sollten weitgehend bekannt sein und die Nebenkosten der Ausbildung – für Reisen, Lehrmaterial, Kommunikation (Telefon etc.) und dergleichen – müssen abgeklärt sein. Sonst kann es manche unliebsame

Überraschung geben. Zum Beispiel kann eine Astrologieausbildung gebucht werden, bei der sich im nachhinein herausstellt, daß umfangreiches und unbedingt nötiges Lehrmaterial zusätzlich zu hohen Kosten angeschafft werden muß.

➤ Eine fundierte Ausbildung beschäftigt sich grundsätzlich mit drei Aspekten:
  – Dem Fachgebiet selbst, den zu seiner Beherrschung nötigen Kenntnissen, Fähigkeiten und Erfahrungen. Zum Beispiel: Heilsteintherapie oder Reiki.
  – Der Aufklärung und Harmonisierung persönlicher Problembereiche, die die effektive und ethisch korrekte Anwendung des Fachwissens behindern könnten. Zum Beispiel: Allmachtsphantasien, Minderwertigkeitsgefühle und Näheängste.
  – Der Vermittlung von Kenntnissen, Erfahrungen und Fertigkeiten aus angrenzenden Themenbereichen, die dazu geeignet sind, die fachspezifische Tätigkeit sinnvoll zu ergänzen. Zum Beispiel: Transpersonale Psychologie, Anatomie und Physiologie des menschlichen Körpers, Chakrenlehre und Rhetorik.

➤ Unterrichtet der Ausbilder allein, oder zieht er Gastreferenten heran, die spezielle Themen abdecken? Sind die Gastreferenten nur „Lückenfüller", oder handelt es sich ebenfalls um fachlich und persönlich kompetente Menschen? Wenn Gastreferenten eingesetzt werden, ist dies für die Schüler eine gute Gelegenheit, verschiedene Unterrichtsstile kennenzulernen. Außerdem werden spezielle Themen bei einer breit angelegten Ausbildung auf diese Weise meist wesentlich gehaltvoller vermittelt.

➤ Gibt es nach dem Ende der Ausbildung noch Gelegenheiten, den Ausbilder bei den üblicherweise auftauchenden Anfangsschwierigkeiten um Rat zu fragen oder Supervision von ihm zu bekommen. Welche Zusatzkosten entstehen dafür?

Worauf während der Ausbildung geachtet werden sollte

➤ Hält der Ausbilder sich insgesamt an die Vermittlung der versprochenen Inhalte?

➤ Dürfen Fragen gestellt werden, und werden sie zufriedenstellend beantwortet?

➤ Ist der Ausbilder bereit und in der Lage, Hilfestellung bei der Bewältigung persönlicher Probleme zu geben oder zu vermitteln, die den Fortschritt der Ausbildung behindern?

➤ Gibt es zu allen wichtigen Themen ausreichend schriftliches Lehrmaterial?

➤ Achtet der Ausbilder auf eine den Lernprozeß förderliche Stimmung in der Ausbildungsgruppe?

➤ Sorgt der Ausbilder dafür, daß keine Abhängigkeiten zu ihm entstehen und daß generell eigenverantwortliches Denken und Handeln unterstützt wird?

➤ Versucht der Ausbilder, Kopien seiner Selbst heranzuziehen oder fördert er zu angemessener Zeit – meist im letzten Drittel eines längeren Trainings – die individuelle Ausprägung der fachlichen und persönlichen Kompetenz?

Wenn es irgendwelche Schwierigkeiten in Verlauf der Ausbildung gibt, sollte der Ausbildungsleiter möglichst bald darauf angesprochen werden. So lassen sich, bei beiderseits vorhandenem guten Willen, fast alle Probleme aus der Welt räumen. Je mehr Schwierigkeiten verschleppt oder sogar ganz „unter den Teppich gekehrt" werden, desto gefährdeter ist der Erfolg der Ausbildung.

Natürlich sind Ausbilder auch nur Menschen, und es ist wichtig, sich immer wieder daran zu erinnern, obwohl diese Aussage vielleicht banal klingt. Egal wie gut jemand trainiert ist, er wird weiterhin in bestimmten Situationen Fehler machen. Ein kompetenter Ausbilder sollte keine Schwierigkeiten haben, zu seinen Unzulänglichkeiten zu stehen und

> **Vollkommene Menschen gibt es nur in der Phantasie**

sie bei Gelegenheit wieder wettzumachen. Ein guter Schüler sollte auch Verständnis für Fehler haben oder sich bemühen, es zu entwickeln. Eigene Perfektionsansprüche lassen sich in diesem Zusammenhang leicht identifizieren und heilen.

Perfekte Menschen gibt es nicht. Und Menschen, die unbedingt perfekt sein wollen, machen sich und ihre Umwelt damit nur unglücklich.

Beileibe nicht jedes Problem, das aus der Sicht des Schülers während der Ausbildung auftaucht, hat aber objektiv mit Fehlern seitens des Ausbilders zu tun. Gerade bei Ausbildungen, die die Persönlichkeitsentwicklung mit berücksichtigen, treten sogenannte Übertragungen* auf und sollten von Schüler und Lehrer berücksichtigt werden. In Kapitel X habe ich alles Wichtige zu diesen und verwandten Themen zusammengetragen. Dies ist nicht nur im Rahmen von Ausbildungen wichtig. Auch in der Lebensberatungspraxis treten leicht Übertragungen zwischen Berater und Klient auf.

| Unaufgearbeitete Übertragungen erschweren Lernen und Wachsen |

Neben der Wahrnehmung der Ausbildungsverhältnisse sollte ein zukünftiger Lebensberater aber selbstverständlich auch sich selbst gegenüber kritisch sein, damit die Ausbildung für ihn möglichst reichlich Früchte trägt. Folgende Fragen, die im Verlaufe des Trainings immer wieder kritisch, vielleicht zusammen mit anderen Schülern, durchgegangen werden sollten, können dabei helfen, eigene Lernwiderstände herauszufinden, zu harmonisieren und auf diese Weise mehr aus der Ausbildung herauszuholen:

---

* Bei einer Übertragung findet folgender Ablauf statt: Ein Mensch lernt einen anderen kennen und nimmt bewußt oder unbewußt Ähnlichkeiten in dessen Verhalten oder Erscheinungsbild mit jemandem war, den er aus seiner Vergangenheit kennt. Hat zum Beispiel der Vater immer die Augenbrauen auf eine typische Weise angehoben, um Mißfallen auszudrücken, so kann das einige Jahrzehnte später erwachsene Kind immer noch zusammenschrecken, wenn ein für ihn wichtiger Mensch in seinem Umfeld eine ähnliche Verhaltensweise zeigt. Dabei ist es sehr wahrscheinlich, daß diese Verhaltensweise eine vollkommen andere Bedeutung hat, als ihr von dem Beobachter unterstellt wird. Je unterbewußter die Übertragung ist, desto

➤ Arbeite ich die einzelnen Unterrichtseinheiten regelmäßig nach und vergewissere mich so, daß ich auch alles Wesentliche gelernt habe?

➤ Achte ich darauf, regelmäßig meinen Beitrag zu einer Gruppenatmosphäre zu leisten, die das Lernen und die Entwicklung fördert, oder bringe ich eher etwas ein, daß Zwietracht stiftet oder die Stimmung drückt, ohne das es wirklich notwendig wäre?

➤ Verschaffe ich mir regelmäßig einen Überblick über meine Lernblockaden und arbeite daran, diesse aufzulösen?

➤ Nehme ich an allen Lehrveranstaltungen teil, oder lasse ich einige ohne wichtige Gründe aus?

➤ Bin ich bereit, Anregungen und Kritik seitens des Ausbilders und anderer Schüler anzunehmen und für mich sinnvoll umzusetzen?

➤ Kläre ich fachliche und persönliche Probleme umgehend mit meinem Ausbilder oder verschleppe ich sie?

➤ Kläre ich persönliche Probleme mit anderen Schülern nach Möglichkeit umgehend?

➤ Versuche ich, viel und gut zu lernen, oder ist meine Bestreben dahin ausgerichtet, mit geringem Aufwand einen Schein zu machen?

➤ Setze ich mich auch gefühlsmäßig mit dem Lernstoff auseinander, oder versuche ich, das Lernen auf der Verstandesebene zu halten?

➤ Bin ich bereit, liebgewordene Vorstellungen über mich, das Leben und die Welt aufzugeben, wenn diese Positio-

---

eher und starker wird der Betreffende eine diffuse Abneigung gegen den anderen, auf den er überträgt, entwickeln. So entsteht dann auch zum Beispiel im Verlaufe eines Trainings eine immer gespanntere Situation zwischen Schülern und Ausbilder, weil von vorneherein die Absichten und das Verhalten des Ausbilders von den Schülern mit Mißtrauen beurteilt und im Zweifelsfall zu dessen Ungunsten gewertet werden. Die dadurch leicht entstehenden Mißverständnisse können ab einem gewissen Punkt praktisch nicht mehr beseitigt werden und vergiften auf unerträgliche Art die Atmosphäre. Deswegen sollten derartige Situationen möglichst umgehend geklärt werden. Bei schwierigen Situationen können neutrale Berater von außen dazu gebeten werden, um beiden Parteien dabei zu helfen, wieder Herzensbrücken zueinander zu bauen.

nen durch die in der Ausbildung vermittelten Einsichten unhaltbar werden, oder trenne ich fein säuberlich und gehe davon aus, daß im Zusammenhang der Ausbildung das Neue gilt und für mich privat alles beim Alten bleibt?
➢ Setze ich den Lernstoff so bald es geht auch außerhalb der Ausbildung in die Praxis um oder traue ich mich das nicht? Warum nicht?
➢ Teile ich dem Ausbilder mit, wenn ich durch Ausbildungsinhalte in persönliche Krisen komme, damit er mir bei dem Verständnis des Problems und dessen Aufarbeitung helfen kann?
➢ Arbeite ich das Lehrmaterial ernsthaft durch, oder reicht es mir, wenn es im Bücherschrank steht?
➢ Gehe ich davon aus, daß der Ausbilder im Prinzip keine Ahnung hat und sitze deswegen nur meine Zeit ab, oder kläre ich unterschiedliche Ansichten mit ihm?
➢ Bin ich der Auffassung, daß ich die Ausbildung eigentlich gar nicht brauche, sondern nur den Ausbildungsnachweis?

Weitere fachliche Voraussetzungen für den Beruf des Lebensberaters

Je nachdem, welche Inhalte durch die Ausbildung abgedeckt werden, muß noch einige Nacharbeit stattfinden. Hier einige Tips dazu:

➢ Steuerliche und rechtliche Fragen der Tätigkeit als Lebensberater.
Quellen: Beratung durch Steuerberater und Rechtsanwalt. „Rechtshandbuch für Heiler". Schriftliche Auskunft vom zuständigen Finanzamt und Ordnungsamt, eventuell Gesundheitsamt.
➢ Grundsätzliche oder auch speziellere Kenntnisse in Anatomie und Physiologie des menschlichen Körpers sind, je nach Tätigkeitsschwerpunkt, erforderlich.

Quellen: Heilpraktikerausbildung; Gasthörer bei einschlägigen Vorlesungen an Universitäten; Bücher; Lehrvideos; Volkshochschule.

➤ Grundlagen von Psychologie und Psychotherapie
Quellen: Ausbildung zum Heilpraktischen Psychotherapeuten; Ausbildung zum Psychologen, psychologischen Berater, Psychoanalytiker oder zum Psychotherapeuten bei einem durch Heilpraktikerverbände anerkannten Institut oder Ausbildungen in neuzeitlichen Psychotherapien wie „Gestalt", „Transaktionanalyse" oder „Transpersonale Psychologie" an renomierten Instituten; Gasthörer bei Vorlesungen an Universitäten; Studium der Psychologie oder Sozialpädagogik; Kurse an Volkshochschulen.

➤ Rhetorik und Dialektik
Quellen: Einschlägige Literatur; Kurse an Volkshochschulen; Seminare von freien Referenten.

➤ Umgang mit Klienten, die sich in Notsituationen oder akuten seelischen Krisen befinden.
Quellen: Seminare bei freien Referenten oder Instituten mit psychologischem/psychotherapeutischem Tätigkeitsschwerpunkt; Literatur. Zu diesem Thema reicht theoretische Information nicht aus!

➤ Ganzheitliche Konzepte von Krankheit, Gesundheit und Heilungsprozessen
Quellen: Literatur; Seminare bei freien Referenten.

Ist eine Ausbildung sehr umfangreich gewesen, braucht es meist nur kleinere Ergänzungen, um eine tragfähige Grundlage für die Lebensberatungspraxis zu schaffen. Ansonsten kann es lohnenswert sein, eine zweite längere Ausbildung zu absolvieren, um Kenntnisse und Fähigkeiten abzurunden. Auch wenn von vorneherein eine Spezialisierung auf mehrere Fachgebiete angestrebt wird – zum Beispiel Feng Shui, Reiki und NLP – sind mehrere lange Ausbildungen wichtig. Es ist dabei wenig sinnvoll, zwei oder mehr

> **Es ist nicht sehr sinnvoll, zwei oder mehrere intensive Ausbildungen gleichzeitig zu absolvieren**

intensive Ausbildungen gleichzeitig zu absolvieren. Selbst wenn das reine Wissen noch irgendwie reingestopft werden kann – die lebendige Integration des Know-Hows ist auf diesem Wege meist nicht zu schaffen. Man kann eben nicht auf zwei Hochzeiten gleichzeitig tanzen. Auch sollte nicht sofort nach dem Ende einer intensiven Ausbildung die nächste begonnen werden. Besser ist es, mal ein paar Monate zu pausieren, alles sich integrieren zu lassen und einiges auszuprobieren, bevor das nächste Training beginnt. So stellt sich nicht so leicht Lernmüdigkeit ein, und es ist auch genügend Gelegenheit für das Unterbewußtsein vorhanden, den Stoff der letzten Ausbildung zu verdauen.

Wie lassen sich mehrere Ausbildungen sinnvoll miteinander kombinieren?

Bei der Zusammenstellung mehrerer Ausbildungen für den Beruf „Lebensberater" gibt es einige Orientierungen, die sich in der Praxis immer wieder bewährt haben. Eine meiner Erfahrung nach optimale Kombination besteht aus:

➤ einer Kommunikations- und Lernmethode, die auch ein therapeutisches Basiswissen und Interventionstechniken beinhaltet wie z. B. NLP (Neurolinguistisches Programmieren), Mentaltraining oder TA (Transaktionsanalyse)
➤ einer Methode der feinstofflichen Energiearbeit wie zum Beispiel Reiki, Silva Mind Control, Heilsteinarbeit oder eine Form der Geistheilung
➤ einer Orakelmethode oder einem System der feinstofflichen Wahrnehmung wie etwa Aura-/Chakralesen, Astrologie, Tarot, I Ging, Chakra-Energie-Karten, Kinesiologie oder Runen
➤ einer Methode der Körperarbeit wie z. B. Alexandertechnik, Feldenkrais, Polarity, Shiatsu oder Zilgrei.

Natürlich ist ein derartiges Ausbildungskonzept weder billig noch in kurzer Zeit zu absolvieren, und bei der Bandbreite vieler Methoden ist es auch nicht unbedingt nötig, tatsächlich vier Ausbildungen zu belegen. Zum Beispiel beinhaltet eine umfangreiche Kinesiologie-Ausbildung nicht nur Techniken zur Wahrnehmung und systematischen Auswertung feinstofflicher Energien, sondern auch Energie- und Körperarbeit. Eine komplette Reiki-Ausbildung umfaßt sowohl Techniken zum Aura-/Chakralesen, als auch therapeutisches Grundwissen, feinstoffliche Energiearbeit und effektive

> **Sinnvolle Ausbildungskombinationen qualifizieren für die Lebensberatunspraxis**

Kommunikationstechniken. Auch hier setzen verschiedene Ausbilder und Institute unterschiedliche Schwerpunkte und haben mitunter sehr große Unterschiede bezüglich der Bandbreite der Ausbildung. Hier lohnt es sich, in Ruhe Informationen zu sammeln und zu vergleichen, bevor ein Trainingsprogramm belegt wird. Wer bereits als Berater tätig ist, kann sich anhand der obigen Orientierung einen Überblick über seinen Ausbildungsstand verschaffen und auf diese Weise seine Weiterbildungsmaßnahmen besser planen.

Weiterbildung

Natürlich ist es zuviel verlangt, in der gleichen Intensität Weiterbildung neben der engagierten Ausübung eines Berufs zu betreiben und Fähigkeiten und Kenntnisse zu sammeln wie in der Zeit der Ausbildung. Trotzdem sollte immer wieder mal ein Fachbuch durchgearbeitet werden. Einige Male pro Jahr eine Fortbildungsveranstaltung zu besuchen halte ich auch für sehr wichtig. Nur so kann auf die Dauer verhindert werden, daß die persönliche und fachliche Entwicklung

> **Weiterbildung – fachliches Wissen immer auf dem neusten Stand halten**

stehenbleibt. Die Lernfähigkeit rostet ein, wenn man immer auf demselben Kenntnisstand verharrt und mit der Zeit wird der Arbeitsstil immer uneffektiver, weil die Anregungen fehlen. Regelmäßige Verunsicherung in bezug auf das persönliche und fachliche Weltbild hilft dabei, weiter fröhlich und staunend im Strom des Lebens mitzuschwimmen.

Verunsicherung motiviert zum Lernen!

Supervision

Wenn ein Lebensberater engagiert mit Klienten arbeitet, wird zwangsläufig immer wieder auch ein Zustand von Frustrationen auftreten. Vielleicht beginnen eigene Verletzungen durch den Kontakt mit artverwandten Problemen anderer Menschen zu schmerzen oder ein Berater weiß einfach nicht mehr, wie er seinem Klienten weiterhelfen kann. Oder er merkt, daß der Kontakt mit bestimmten Klienten heftige Gefühle auslöst, mit denen er nicht umgehen kann. In all diesen Fällen braucht der Berater selbst Beratung, um seine Arbeit auch in Zukunft zufrieden und gut erledigen zu können.

Supervision – Beratung für den Lebensberater

Diese Art der Konsultation wird als „Supervision" bezeichnet. Es gibt spezielle Ausbildungen dafür und Berater, deren Arbeitsschwerpunkt die Supervision von Kollegen ist. Ich halte es für unbedingt notwendig, daß ein Lebensberater regelmäßig die Möglichkeit der Supervision nutzt. Durch diese Unterstützung wird die eigene Arbeit viel effektiver und der Spaß daran geht nicht in einem Meer unaufgearbeiteter Frustrationen unter. Langfristige Supervision ist ein wirksames Mittel gegen den „Burn-Out", der berufsbedingten Resignation von Angehörigen helfender Berufe.

Berater identifizieren sich häufig auch zu sehr mit den Schwierigkeiten ihrer Klienten und laufen so Gefahr, in bezug auf ihr eigenes Lebensglück ständig negativ beeinflußt zu werden. Außerdem gibt es viele Enttäuschungen zu verdauen. Sei es, daß manche Klienten aussichtsreich erscheinende Beratungen ohne erkennbaren triftigen Grund abbrechen, sei es, daß Schwierigkeiten vorliegen, die einfach nicht zu lösen sind oder auch, daß Fehler gemacht werden, die das Selbstwertbewußtsein wegen nicht-harmonisierter Perfektionsansprüche seitens des Beraters ins Wanken bringen.

Im einzelnen geht es bei der Supervision um folgende Schwerpunkte:

➤ *Fallarbeit*
  Hier hilft der Supervisor unter anderem seinem als Berater tätigen Klienten, mit schwierigen Fällen besser umzugehen, grundlegende Arbeitsfehler zu erkennen und zu beseitigen, seine Gefühle und Gegenübertragungen im Umgang mit Klienten besser wahrzunehmen und sinnvoller damit zu arbeiten, zwischen Beobachtung und Wertung zu unterscheiden und richtig mit Nähe und Distanz in bezug auf seine Klienten umzugehen.

➤ *Allgemeines Verhältnis zur Arbeit*
  Der Supervisor unterstützt den Berater darin, Arbeit und Privatleben sinnvoll aufeinander abzustimmen, Abschalten zu üben, berufliche Probleme nicht übermäßig in den Privatbereich zu verschleppen und umgekehrt. Auch Wissenslücken oder mangelhafte Beherrschung wichtiger Fähigkeiten werden im Rahmen der Supervision erkannt.

Für den Lebensberater ist es meiner Erfahrung nach allerdings häufig notwendig, mit zwei Supervisoren zusammenzuarbeiten. Es gibt heute genug qualifizierte Supervisoren für psychotherapeutische oder medizinische Berufsgruppen. Es sind bei diesen Spezialisten aber zur Zeit selten ausreichende Kenntnisse in bezug auf Energiearbeit, Meditation, alternative Psycho- oder Körpertherapien, Schamanismus und dergleichen vorhanden.

> **Es gibt selten einen Supervisor, der das ganze Feld der Lebensberatungspraxis abdeckt**

Deswegen muß meist ergänzend ein Spezialist mit viel Erfahrung im jeweiligen Fachgebiet des Lebensberaters hin-

zugezogen werden. Manchmal gibt es natürlich den Glücks-
fall, beides in einer Person zu haben, aber meist ist dann
die Entfernung für regelmäßige Supervision zu groß.

Der Schwerpunkt der Supervision sollte aber auf Dauer
im psychologischen Bereich liegen, da hier die größte Be-
anspruchung des Beraters stattfindet und Fehler nicht so
leicht zu entdecken und zu beheben sind wie auf der fach-
lich-technischen Seite.

Persönliche Checkliste
Lebensberaterausbildung

> Wie lange dauert die geplante Ausbildung?
> Welche Themen werden darin wie intensiv vermittelt?
> Welche Teile des Trainings sind zur Entwicklung der
  Persönlichkeit geeignet?
> Welche an das Kernthema angrenzenden Themenbe-
  reiche werden behandelt?
> Wie lange übt der Ausbilder schon den Beruf aus, in
  dem er eine Ausbildung anbietet?
> Gibt es ausreichend schriftliches Lehrmaterial?
> Wie geht der Ausbilder mit Beziehungsschwierigkei-
  ten zu seinen Schülern um?
> Wie geht der Ausbilder mit Kritik um?
> Ist der Ausbilder auch in der Lage, den Lernstoff un-
  vorbereitet und kreativ zu vermitteln oder „klebt er am
  Konzept"?
> Versucht der Ausbilder, seine Schüler zu Kopien sei-
  ner Selbst zu machen, oder bietet er ausreichend Raum,
  um auf der durch ihn vermittelten Grundlage einen eigenen fachlichen und persönlichen Stil zu entwickeln?
> Was sagen Menschen, die die Ausbildung bereits ab-
  solviert haben, darüber?
> Ist ein Orakel (Tarot, I Ging, Chakra-Energie-Karten
  oder Ähnliches) zu der Ausbildung befragt worden?
  Welches Ergebnis kam?

Kapitel II

Der Einstieg in die Praxis

Außer den fachlichen und persönlichen Voraussetzungen gibt es noch einige andere Dinge zu bedenken und sinnvoll zu regeln, bevor die Arbeit richtig losgehen kann. Zu Beginn einer Lebensberatungspraxis scheint es oft so, als wären die Themen, die ich in diesem Kapitel bespreche, noch nicht so wichtig. Doch wenn die Praxis erst mal richtig läuft, ist meist die Zeit sehr knapp und die Freude groß, wenn der organisatorische Rahmen vorher in den Zeiten der relativen Ruhe gut vorbereitet worden ist.

Büroorganisation

Das Büro dient dazu, alle Verwaltungsangelegenheiten abzuwickeln. Es ist nicht unbedingt nötig, dafür einen eigenen Raum zu haben, schön wäre es aber schon, sei er auch noch so klein. Geht letzteres nicht, reicht auch eine Ecke mit Schreibtisch in einem halbwegs ruhigen Zimmer der Wohnung, vielleicht durch einen Paravent abgeteilt. In drei Räumen darf das Büro auf keinen Fall untergebracht werden: dem Schlafzimmer, dem Wartezimmer und dem Raum, in dem die Beratungen durchgeführt werden. Warum? Im Büro stehen das Telefon und der Anrufbeantworter. Die beiden wichtigen mechanischen Helfer können zu den unmög-

lichsten Zeiten anspringen. Das verbreitet eine gewisse Un-
ruhe in der Umgegend. Der Schreibtisch kann manchmal
recht unaufgeräumt sein, und das kann die Atmosphäre in
dem Beratungs- oder Warteraum stören. Außerdem liegen
vielleicht Klientendaten herum und die unterliegen der
Schweigepflicht.

Die unbedingt notwendige Büro-Ausstattung habe ich in
der untenstehenden Checkliste aufgeführt.

Checkliste Büro-Ausstattung

*Schreibtisch mit mehreren Schubfächern, Aktenschrank,
Telefon, Anrufbeantworter, Schreibmaschine mit Schreib-
maschinentisch, elektronische Rechenmaschine – besser
wäre allerdings ein Computer mit Drucker und Tisch sowie der folgenden Software: Textverarbeitung (für Briefe,
Klienteninformationen, Ausarbeitungen etc.) Datenbank
(Adressen, Klientenkartei), Grafik (Klienteninformationen,
Werbung), Terminverwaltung (Organizer). Ein großer Ter-
minkalender, in dem jeder Wochentag in Stunden unterteilt ist; Schreibmaterial, Papier, Notizzettel, Quittungs-
block, Stempel mit Anschrift und Telefonnummer der
Praxis, Briefumschläge und -papier, Visitenkarten. Eine
Kasse, ein Block mit fertig vorbereiteten Telefonnotizen,
acht Aktenordner (Steuern/Jahrgang; Versicherungen
und Räumlichkeiten; Klienten/Jahrgang; Werbung; Vernetzung; Sonstiges; Fortbildung, Ausgaben- und Einnah-
menbelege).*

Recht

Lebensberatungen finden nicht im rechtsfreien Raum statt. Wenn eine medizinische Qualifikation vorhanden ist, muß die dafür vorhandene Rechtslage bei der Ausübung des Berufes berücksichtigt werden. Ohne eine derartige Zulassung sollte eine ausführliche Orientierung zum Beispiel anhand des sehr gut recherchierten „Rechtshandbuchs für Heiler" erfolgen. Ich halte es für sinnvoll, zu Beginn einer Beratung jedem neuen Klienten eine Information über die Leistungen der Lebensberatung vorzulegen und sich diese in Kopie unterschreiben zu lassen. So können keine Mißverständnisse auftreten. Natürlich muß dann die Beratung auch in diesem Rahmen abgewickelt werden. Sonst handelt es sich um arglistige Täuschung. Einen Beispieltext habe ich auf der folgenden Seite abgedruckt.

Weiterhin sollten die folgenden zwei wichtigen Punkte berücksichtigt werden:

➢ *die Schweigepflic ht*
Es gibt in § 203 des Strafgesetzbuches (StGB) eine Regelung über die Schweigepflicht. Diese ist zwar im direkten Wortlaut prinzipiell auf Mediziner, Psychologen, Anwälte, Sozialpädagogen und verwandte anerkannte Berufe zugeschnitten, sie kommt aber auch bei Lebensberatern in entsprechenden Fällen zur Anwendung. Der Text ist: „Wer unbefugt ein fremdes Geheimnis, namentlich ein zum persönlichen Lebensbereich gehörendes Geheimnis oder ein Betriebs- oder Geschäftsgeheimnis, offenbart, das ihm als Arzt, Psychologe (...) anvertraut wurde, wird mit Freiheitsstrafe bis zu einem Jahr oder mit Geldstrafe bestraft".

> **Die Intimspäre des Klienten muß in der Beratung gewahrt werden**

Unter „Geheimnis" wird in den einschlägigen Kommentaren zu dem Gesetzestext ein weiter Bereich von persönlichen Informationen verstanden. Werden von einem

Tätigkeitsbeschreibung der Lebensberatung

Vor Beginn der Beratung wurde ich auf folgendes aufmerksam gemacht:

➤ Es werden im Zusammenhang der Lebensberatung keine Diagnosen oder Therapien im medizinischen Sinne durchgeführt oder Heilkunde im Sinne des Heilpraktikergesetzes praktiziert.

➤ Ich weiß, daß der Lebensberater über keine medizinische Qualifikation verfügt. Deswegen entsteht bei mir auch nicht der Eindruck, durch einen Mediziner oder im medizinischen Sinne beraten zu werden.

➤ Die Sitzungen im Rahmen der Lebensberatung können und sollen eine ärztliche Behandlung oder eine Behandlung durch einen Angehörigen eines anerkannten medizinischen Berufes nicht ersetzen. Der Lebensberater hält eine Zusammenarbeit mit Medizinern, wie Ärzten und Heilpraktikern, für sehr wichtig. Daher soll keinesfalls eine laufende Behandlung unterbrochen oder abgebrochen werden, beziehungsweise eine in Zukunft notwendige Behandlung nicht hinausgeschoben oder unterlassen werden. Die Verantwortung, medizinische Versorgung in Anspruch zu nehmen, liegt ganz bei mir.

➤ Der Lebensberater gab keine Heilungsversprechen ab, so daß in mir keine falschen Hoffnungen geweckt wurden.

➤ Ich trage die volle Verantwortung und habe auch die volle Entscheidungsfreiheit darüber, die Lebensberatungen fortzusetzen oder zu einem beliebigen Zeitpunkt abzubrechen, ebenso ist meine Zustimmung zu den vorgeschlagenen Sitzungsabläufen oder etwaigen vorgeschlagenen alternativen Genesungshilfen erforderlich.

➤ Ich wurde darüber aufgeklärt, was mich konkret bei den Lebensberatungssitzungen erwartet und auch darüber, wie sich das von mir zu zahlende Honorar zusammensetzt und berechnet wird. Vorauszahlungen – für mehr als eine Sitzung – werden nicht geleistet.

Ort, Datum   Unterschrift

Berater zum Beispiel der Name eines Klienten an Dritte weitergegeben oder wird weitergetragen, daß eine bestimmte Person eine Beratung in Anspruch genommen hat, kann dies schon ein Bruch der Schweigepflicht sein. Ich finde aber neben dem juristischen Gesichtspunkt der Schweigepflicht auch den ethischen sehr wichtig, vielleicht sogar noch bedeutender: Kommt ein Klient zu einer Beratung, muß er sicher sein, daß der Berater über persönliche Dinge, so belanglos sie für diesen auch erscheinen mögen, Stillschweigen bewahrt.

Ausnahmen gibt es vom juristischen und natürlich auch vom ethischen Standpunkt her in bezug auf schwere Straftaten. Allerdings ist in § 138 StGB dazu zu lesen, daß die Nichtanzeige einer geplanten Straftat nur dann unter Strafe gestellt wird, wenn es sich um eine schwere Straftat handelt.

➤ *Haftung für unsachgemäße Beratung*
Bei entgeltlichen Beratungen haftet der Berater für unsachgemäße Ratschläge. Der Berater muß den entstandenen Schaden ersetzen.

Wenn also zum Beispiel der Berater die Aufgabe der Arbeitsstelle empfiehlt oder die Trennung von dem Lebensgefährten, so kann er für den dadurch entstandenen Schaden haftbar gemacht werden. Besonders wichtig scheint mir diese gesetzliche Regelung des BGB für Kartenleger, Astrologen und Hellseher oder Channel zu sein. Ich finde es im übrigen auch ethisch nicht vertretbar, außer es ist Gefahr im Verzuge, sich durch konkrete Anweisungen als Lebensberater in das Leben von Klienten einzumischen, selbst wenn diese so etwas fordern. Denn ein Lebensberater sollte ja eigenverantwortliches Handeln durch seine Tätigkeit fördern und nicht stattdessen Menschen auch noch in ihrer Abhängigkeit und Unselbständigkeit unterstützen.

> **Berater sollen eigenverantwortliches Handeln fördern**

Steuern

Einnahmen müssen versteuert werden. Deswegen sollten alle Einnahmen aus Beratungen regelmäßig zum Beispiel in einem Journal aufgelistet werden. Ab einer bestimmten Einkommensgrenze sind die Einnahmen generell mehrwertsteuerpflichtig. Normalerweise sind die Finanzämter nicht kleinlich, wenn es darum geht, einen Betrieb erstmal ins Laufen zu bringen. Sie warten in der Regel ab, wenn sie entsprechend von dem Steuerpflichtigen informiert worden sind, bis klar ist, in welcher Höhe innerhalb eines Jahres Einnahmen tatsächlich erzielt werden. Dann aber möchte der Fiskus auch daran verdienen. Deswegen sollten bereits im ersten Geschäftsjahr Rückstellungen in angemessener Höhe für Steuern vorgenommen werden. Auch hier empfiehlt sich die Beratung durch einen Steuerberater.

Auch wenn die Verlockung groß ist, würde ich keinesfalls „Schwarzgeld", also dem Finanzamt gegenüber unterschlagene Einnahmen, zu machen versuchen. Erstens ist dies eine Straftat, die bei einer etwas genaueren Routineprüfung durch das Finanzamt anhand eines Vergleichs der angegebenen Einnahmen mit der Praxisausstattung und dem allgemeinen Lebensstandard fast immer ans Licht kommt und dann empfindlich bestraft wird, zweitens ist es

> **„Schwarzgeld" machen lohnt sich nicht**

gegenüber den Klienten nicht fair. Die meisten von ihnen können Beratungsgebühren steuerlich absetzen, wenn die Beratungen ihren ausgeübten Beruf betreffen. In einem begrenzten Rahmen lassen sich Beratungen auch steuerlich geltend machen, wenn sie ausschließlich private Themen berühren. Um diese Ausgaben absetzen zu können, muß der Klient sie per Quittung gegenüber dem Finanzamt nachweisen. Will der Berater Schwarzgeld machen, kann er natürlich keine Quittungen ausstellen. Der dritte Grund, warum Schwarzgeld wirklich nicht sein muß, ist, daß es mehr als genug legale Möglichkeiten gibt, die Steuerlast zu reduzieren. Der vierte ist, daß es meiner Ansicht nach nicht in

Ordnung ist, den „blöden anderen" die Zahlung der Steuern und damit die Bewältigung der hohen Ausgaben für die Infrastruktur unseres Staates zu überlassen, die wir ja schließlich alle nutzen. Wer als Lebensberater ethisch korrektes Verhalten vermitteln will, sollte sich auch selbst diesbezüglich in die Pflicht nehmen.

Die steuerliche Seite sollte auch bei der Kalkulation der Beratungshonorare mit berücksichtigt werden. Schließlich will „Vater Staat" ja auf jeden Fall 15 Prozent Mehrwertsteuer haben. Also landen von DM 100,- Beratungshonorar tatsächlich nur DM 86,96 in der Kasse des Beraters. Von diesem Betrag geht dann noch mal, vereinfacht gerechnet, die Einkommenssteuer von zum Beispiel 35 Prozent ab. Nach Adam Riese bleiben dann nur nur DM 64,41 in der Kasse. Ja, ja, es ist schwer, sein Geld zu verdienen.

Kosten, die bei der Ausübung des Berufes entstehen, können natürlich generell abgesetzt werden. Daß heißt, die zu zahlende Einkommens- und Mehrwertsteuer wird dadurch gemindert. Kosten sind zum Beispiel: Raummiete; Raumreinigung; Ausbildungskosten; Kosten für Fachliteratur, Fachzeitschriften und Musik, die in geschäftlichem Zusammenhang genutzt wird; Räucherstäbchen und Kerzen nebst Haltern; Möbel; die gesamte Büroausstattung; Fahrt- und Essenskosten, wenn die Arbeitsstätte nicht in

> **Berufliche Kosten können steuerlich abgesetzt werden**

der Nähe der Wohnung liegt; Tee, Kaffee und sonstige Getränke, die den Klienten im Verlauf der Sitzungen angeboten werden und natürlich auch Kekse und sonstige Snacks; Porto; Telefonkosten des – hoffentlich extra angemeldeten! – Bürotelefons; Werbung und vieles andere mehr. Da die gesetzlichen Regelungen sich in den Einzelheiten ständig ändern, empfehle ich hier noch einmal, einen Fachmann, also einen Steuerberater zu konsultieren. Durch eine gute steuerliche Beratung läßt sich ganz legal viel Geld sparen.

Natürlich will das Finanzamt Nachweise der Kosten und der Einnahmen sehen – sind diese nicht in Form von Quittungen und Rechnungen vorhanden, wird geschätzt! Meist kommt dabei nichts Gutes für den Steuerpflichtigen, also den Lebensberater, heraus. Die Belege müssen außerdem mehrere Jahre aufgehoben werden.

Eine gute steuerliche Beratung kann ganz legal viel Geld sparen

Denn die meisten Steuerbescheide werden unter Vorbehalt der Nachprüfung erteilt. Daß heißt, daß zum Beispiel fünf Jahre nach Eröffnung der Lebensberatungspraxis plötzlich das Finanzamt für diesen Zeitraum alle Angaben genau überprüfen möchte. Sind die Belege dann im Müll gelandet, sieht der Steuerpflichtige schlecht aus. Es wird wieder mal geschätzt. Siehe oben.

Gewerbeschein – ja oder nein?

Der Beruf der Lebensberaters ist prinzipiell ein freier Beruf. Das Ordnungsamt muß also keinen Gewerbeschein für diese Tätigkeit erteilen. Ich würde nur dann, wenn außer der reinen Beratungstätigkeit auch noch Bücher und Tonträger, Räucherwerk, Heilsteine oder andere Waren verkauft werden, den Gang zum Ordnungsamt empfehlen. Denn in diesem Fall wollen viele Lieferanten den Gewerbeschein sehen, bevor eine Bestellung akzeptiert wird. Ohne Zusatzgeschäft ist der Gewerbeschein witzlos, denn er macht nur durch die zusätzlich anfallende Gewerbesteuer Extrakosten.

Auch wenn Nebengeschäfte geplant sind, sollte der Gewerbeschein nur auf diese bezogen werden, denn dann fallen die Einnahmen aus der Beratungstätigkeit nicht in den gewerblichen Bereich und damit wird dafür auch keine Gewerbesteuer fällig.

Klientenkartei

In der Klientenkartei sollte für jeden Klienten eine größere Karteikarte oder ein entsprechender Datensatz geführt werden. Zu Beginn einer Beratungspraxis mag diese Maßnahme als ein bürokratischer Wasserkopf erscheinen – immerhin ist es ja nicht schwer, sich die wesentlichen Daten, vielleicht unterstützt von einem Telefonbuch, von einem Dutzend Personen zu merken. Je länger aber die Praxis besteht und je mehr verschiedene Menschen mit ihren vielfältigen Anliegen zu den Beratungen kommen, desto wichtiger wird so eine Datenbank. Im Nachhinein ist

> **Die Klientenkartei entlastet das Gedächtnis**

es aus zeitlichen und formalen Gründen häufig kaum noch möglich, eine komplette Klientenkartei zu erstellen. Andere Tätigkeiten haben dann Vorrang. Deswegen also frisch ans Werk ...

Was auf jeden Fall auf einer Klientenkarte an Informationen vermerkt werden sollte, habe ich auf der nächsten Seite in einem Formular zusammengetragen. Es kann als Vorlage für eigene Schemata dienen.

Das der Inhalt der Klientenkartei vertraulich zu behandeln ist und nicht ohne Wissen oder gegen den Willen des Klienten geführt werden darf, ist wohl selbstverständlich. Am Besten ist es, das schriftliche Einverständnis jedes Klienten einzuholen, bevor seine Daten in die Klientenkartei eingetragen werden und ihm zumindest am Ende einer jeden Gesamtberatung eine Kopie seiner Karteikarte zu übergeben.

Klientenkarte

➤ Vorname, Name; Straße; Postleitzahl; Wohnort; Telefonnummer; Faxnummer; Geburtstag.

➤ Beruf; Hobbies; ledig/verheiratet/geschieden/Kinder.

➤ Warum zur Beratung gekommen?

➤ Zusammen erarbeitetes Ziel der 1. Gesamtberatung. Wichtige Teilziele dazu. Anzahl der Einzeltermine innerhalb dieser Gesamtberatung.

➤ Zusammen erarbeitetes Ziel der 2. Gesamtberatung. Wichtige Teilziele dazu. Anzahl der Einzeltermine innerhalb dieser Gesamtberatung.

➤ Zusammen erarbeitetes Ziel der 3. Gesamtberatung. Wichtige Teilziele dazu. Anzahl der Einzeltermine innerhalb dieser Gesamtberatung.

➤ Zusammen erarbeitetes Ziel der 4. Gesamtberatung. Wichtige Teilziele dazu. Anzahl der Einzeltermine innerhalb dieser Gesamtberatung.

➤ Weiterempfohlen an: (Mediziner oder anderen Spezialisten), Datum: Grund: Welche Gesamtberatung:

➤ Hauptsächliche Sabotageprogramme in bezug auf die ... Gesamtberatung:

➤ Erfolg der einzelnen Beratungen:

Räumlichkeiten

Eine Lebensberatungspraxis sollte folgende Räume beinhalten:

➤ einen Beratungsraum, Größe mindestens etwa 12 bis
15 Quadratmeter. Ist geplant, auch mit Gruppen zu arbeiten, sollten, je nach Art der Arbeit, pro Person etwa
2,5 bis 4 Quadratmeter gerechnet werden.
➤ ein Wartezimmer, Größe mindestens 8 bis 12 Quadratmeter
➤ eine Toilette
➤ eine Teeküche

Natürlich lassen sich Lebensberatungen auch in der Guten
Stube der Privatwohnung geben, aber wer langfristig und
wirklich professionell tätig werden will, wird schnell auf die
Unzulänglichkeiten einer solchen Regelung stoßen. Einige
größere davon sind:

➤ Eine Abgrenzung von Privatleben und Arbeit ist nicht
möglich.
➤ Ein Wohnzimmer ist für Beratungen und etwaige Energiearbeit nur begrenzt geeignet.
➤ Andere Familienmitglieder können den Raum nicht nutzen und müssen viel Rücksicht in der ganzen Wohnung
auf die Beratungen nehmen.
➤ Durch den informellen Rahmen ist es oft schwieriger,
die Beratungszeit einzuhalten.
➤ Werden viele Beratungen durchgeführt, können sich
Nachbarn, die im gleichen Hause wohnen, durch den
intensiven Publikumsverkehr belästigt fühlen. Übrigens
ist eine amtliche Erlaubnis für die gewerbsmäßige Nutzung von Wohnraum notwendig. Wenn ab und zu mal
eine Beratung stattfindet, wird sicher kein Hund danach
bellen. Aber wenn ein regelrechter Praxisbetrieb stattfindet, sieht die Sache anders aus.

Wer über eine Einliegerwohnung mit separatem Eingang verfügt oder zumindest freie Räume in der Wohnung hat, die vom Privatbereich klar getrennt sind und nicht so dicht mit den Nachbarn zusammen wohnt, daß Schwierigkeiten zu befürchten sind, kann natürlich auch in der eigenen Wohnung tätig werden. Dies hat sogar viele Vorteile, weil zum Beispiel aufwendige Fahrten zum Arbeitsplatz wegfallen. Die deutliche Trennung der Arbeitsräume von den Privaträumen sollte aber unbedingt vorgenommen werden, da die beruflich genutzten Flächen dem Finanzamt gegenüber sonst nicht steuerlich geltend gemacht werden können. Mieten oder Darlehenszinsen und Nebenkosten sowie Kosten für Einrichtung und Raumausstattung und auch Ausgaben für Reinigung können schließlich abgesetzt werden, wenn sie für Arbeitsräume anfallen.

> **Beruflich genutzte Flächen der eigenen Wohnung können steuerlich abgesetzt werden**

Kapitel III

Feng Shui für Lebensberater

Feng Shui ist eine alte chinesische Lehre, mit der sich Wohnräume, Gebäude, Gärten und Landschaften so gestalten lassen, daß die Gesundheit, die persönliche Entwicklung und der Erfolg der darin lebenden Menschen gefördert wird. Früher gab es diese Kunst und Wissenschaft auch in Europa. Aber die jahrhundertelangen barbarischen Vernichtungsfeldzüge der christlichen Kirchen gegen die sogenannten Heiden haben dafür gesorgt, daß im Westen kaum noch etwas von diesem wunderbaren Erbe erhalten geblieben ist. Nur alte Kirchen und Kathedralen sowie Artefakte wie Stonehenge lassen noch ein wenig dieses alten Wissens erahnen.

Feng Shui kann eine große Hilfe dabei sein, die Räume der Praxis so zu gestalten, daß der Beratungserfolg wesentlich unterstützt wird und auch die wirtschaftliche Rentabilität nicht zu kurz kommt. Und letzteres ist ja nun mal unbedingt notwendig, um langfristig einer Tätigkeit einen Großteil der Arbeitszeit widmen zu können. Ich kann an dieser Stelle nicht ausführlich auf dieses umfangreiche Thema und seine Hintergründe eingehen, sondern nur einige wichtige Tips geben. Zur Vertiefung können die in der Kommentierten Bibliographie angeführten Titel verwendet werden.

Die Lage der Praxisräume

Besonders geeignet ist eine ruhige, aber verkehrsgünstig gelegene Nebenstraße. Es ist wichtig, einige freie Parkplätze und Bus- oder U-Bahnhaltestellen in der Nähe zu haben. Ein Haus mit Garten und einem mehrfach gewundenen Weg, der zum Eingang führt, begünstigt eine ausgeglichene Energie in dem Gebäude. Natürlich wird die Mehrzahl der Lebensberatungspraxen eher im städtischen Bereich liegen.

> **Die Lage der Praxis unterstützt ihren Erfolg**

Dort lassen sich gewundene Wege durch Gärten mit kleinen Teichen und Goldfischen nur selten realisieren. Doch auch hier läßt sich etwas machen. Zum Beispiel mit einem Windspiel im Eingangsbereich, einem Zimmerspringbrunnen oder einem kleinen Aquarium im Beratungsraum. Auch ein Vorhang aus Holzperlen dämpft harte Energien, die durch gerade Wege zur Eingangstür getragen werden, wirksam ab. Besonders, wenn die Praxis an einer Kreuzung oder am Ende einer Sackgasse liegt, sollten derartige Maßnahmen angewendet werden.

Nicht so gut geeignet sind Praxisräume an lauten, verkehrsreichen, über lange Strecken schnurgerade verlaufenden Hauptstraßen oder Gebäude an Kreuzungen. Ist eine solche Lage nicht zu vermeiden, sollten zusätzlich zu den oben angesprochenen Vorkehrungen lärmdämmende Fenster und Türen vorhanden sein. Fenster nach hinten zu einem Garten oder Innenhof hinaus können die Atmosphäre ebenso aufwerten wie betont viele Naturmaterialien in der Inneneinrichtung. Zum Beispiel: Kork oder Holz für den Boden; Teppiche aus Naturfasern; Holzmöbel; Bilder mit Naturszenen; Grastapeten; die Räume indirekt beleuchtende Glühbirnen statt Neonröhren und viele, viele Pflanzen. Weiche, fließende Vorhänge in pastelligen Grüntönen können in der Stadt einen angenehmen Hauch von Natur in die Praxis bringen.

Pflanzen

Wenn viele Menschen regelmäßig in einem Raum an ihren Problemen arbeiten, sammeln sich dort recht schnell große Mengen an disharmonischen Schwingungen an. Dadurch werden die Rahmenbedingungen für erfolgreiche Beratungen schlechter. Abhilfe bieten zum einen Einrichtungsgegenstände, die Energien zum Fließen anregen und damit die natürliche Selbstreinigung eines Raumes unterstützen. Ebenso ist alles in diesem Zusammenhang nützlich, was einem Raum eine Atmosphäre von Leichtigkeit, Freundlichkeit, Geborgenheit und Lebendigkeit verleiht. Als erstes sollten deswegen Pflanzen in den Zimmerecken plaziert werden. In den Ecken eines Raumes sammeln sich besonders leicht disharmonische Schwingungen an. Wenn dort aber größere Pflanzen stehen, werden störende Energien neutralisiert und in harmonische umgewandelt.

> **Pflanzen neutralisieren störende Energien und wandeln sie um**

Gibt es in der dirgkten Umgebung der Praxis Umspannanlagen, Transformatorenhäuschen, Sendeanlagen oder führt eine Straßenbahnlinie oder eine Bahnstrecke vorbei, werden mit einiger Wahrscheinlichkeit größere elektromagnetische Störfelder im Bereich der Praxis sein. Kakteen in den Fenstern können die disharmonischen Auswirkungen dieser Schwingungen drastisch abdämpfen. Trotzdem sollte am besten bei der Auswahl der Beratungsräume auf eine Lage möglichst weit entfernt von den genannten negativen Einflußfaktoren geachtet werden.

Sind beispielsweise in der Praxis oder an direkt angrenzenden Wänden außerhalb große Sicherungskästen oder Transformatoren angebracht, können direkt daneben größere Kakteen oder größere Kerzen aus reinem Bienenwachs aufgestellt werden.

Bei sehr starken elektromagnetischen Störfeldern ist ein Umzug dringend zu empfehlen. Geht dies nicht, müssen von einem Spezialisten Abschirmgeräte installiert werden.

Kristallkugeln ...

... können eine beschwingte, fröhliche und gleichzeitig wachstumsfördernde Atmosphäre in ein Zimmer bringen. Dazu gibt es besondere, in vielen Facetten geschliffene Kristallkugeln im Fachhandel. Die Kugeln werden in die Fenster gehängt und reflektieren von dort aus das Licht in das Zimmer, brechen es in allen Regenbogenfarben und verzaubern die Stimmung. Es kann die Schwingung einer Lebensberatungspraxis deutlich erhöhen, wenn in allen Fenstern Kristallkugeln hängen. Besonders wirksam sind Arrangements von drei verschieden großen Kugeln, die in unterschiedlichen Höhen angebracht werden.

> **In allen Regenbogenfarben schimmernde Kristallkugeln verzaubern die Stimmung**

... in verschiedenen Farbtönen

Es gibt die Kugeln in verschiedenen Tönungen. Die kristallklaren beleben insgesamt die Schwingung im Raum, verbreiten eine ruhige, heitere Stimmung und regen mit ihren zauberhaften Lichtreflexen, die durch den Raum tanzen, zum Träumen an.

Die blaugetönten verbessern die Selbstwahrnehmung und die Kommunikation und fördern den künstlerischen Selbstausdruck und das klare Denken. Sie können auch helfen, die Meditation zu vertiefen.

Zartrosa gefärbte Kristallkugeln vermitteln Sanftheit, öffnen das Herz und fördern so insgesamt den Fluß von Gefühlen.

Die Plazierung des Klienten und des Lebensberaters

Weder der Klient noch der Berater sollten direkt gegenüber der Tür sitzen. Auch mit dem Rücken zum Fenster gewandt zu sein ist ungünstig. Geht es nicht anders, kann aber eine vorteilhaftere Situation geschaffen werden, indem eine Jalousie, vorzugsweise aus Holz, oder ein schwerer Vorhang vor den jeweiligen Fenstern angebracht wird oder wenn es, zum Beispiel mit einem Schrank, zugestellt wird. Eine Wand hinter dem Sitzenden „stärkt ihm den Rücken".

Wenn Klient und Berater sich direkt gegenübersitzen entstehen leichter Aggressionen und Mißtrauen. Direkt nebeneinander zu sitzen kann andererseits auch Näheängste schüren. Die optimale Sitzposition liegt also irgendwo zwischen 90 Grad und 160 Grad. Erfahrene Lebensberater verwenden Veränderungen ihrer Sitzposition, um ihren Klienten zu helfen, besser an bestimmte Gefühle heranzukommen oder bei schwierigen Themen die Kommunikation zu erleichtern. Die Sitzmöbel sollten also ein wenig Beweglichkeit zulassen.

Inneneinrichtung mit positivem Feng Shui

Wenn Fenster sich direkt gegenüberliegen, muß durch einen Raumteiler oder einige hohe Pflanzen der direkte Durchfluß der Energien gebremst werden. Stattdessen kann auch ein Fenster mit einem schweren, am besten von Wand zu Wand und von der Decke bis zum Boden reichenden Vorhang verdeckt werden, so daß der Eindruck einer Wand entsteht. Eine zu hohe Flußgeschwindigkeit der Energien, die durch die gegenüberliegenden Fenster bewirkt wird, nimmt einem Raum die Geborgenheit und vermittelt Hektik. Das gleiche gilt für genau gegenüberliegende Türen oder

> **Genau gegenüberliegende Raumöffnungen bewirken einen „energetischen Durchzug"**

Tür und Fenster. Hier sind die gleichen Maßnahmen wie bei den vis-à-vis angeordneten Fenstern erforderlich. Zusätzlich können kleine, möglichst achteckige Spiegel über der Tür oder Perlenschnurvorhänge den Fluß der Kräfte harmonisieren.

Befindet sich die Tür zum Bad genau gegenüber der Eingangstür oder der Tür zum Beratungsraum, kann so die positive Energie leicht aus der Praxis abfließen. Die Feng-Shui-Lehre geht davon aus, daß durch die Abflüsse im Bad leicht Energien aus den anderen Bereichen der Wohnung abgezogen werden, wenn zu Beispiel die Tür zum Bad offen gelassen wird oder die oben erklärte Situation auftritt. Deswegen sollte vor der Badezimmertür in solchen Fällen ein Wandschirm, mehrere große Pflanzen oder etwas anderes plaziert werden, das den direkten Durchfluß der Energien von der Eingangstür oder der Tür zum Beratungszimmer zum Bad hin bremst.

Musikanlagen und andere elektrische Geräte sollten möglichst weit von Klient und Berater entfernt sein. Eine Bienenwachskerze daneben harmonisiert die elektromagnetischen Schwingungen zusätzlich.

Eine echte Bienenwachskerze und ein kleines Blumenarrangement – ohne zu dominantes Rot, Gelb und Weiß! – die auf dem Tisch neben dem Beratungsplatz plaziert werden, können die Atmosphäre zusätzlich auflockern. Eine brennende Kerze und der sanfte Duft nach Bienenwachs vermitteln Geborgenheit, Besinnlichkeit und Gemütlichkeit.

Werden Liegen oder Behandlungsplätze auf dem Boden – vielleicht für Reiki-Sitzungen, Heilsteinanwendungen oder Shiatsu – benötigt, sollten Decken in Pastellfarben oder zumindest entsprechend getönte Tücher als Unterlage verwendet werden. Braun, Schwarz und Grau sind eher zu meiden, weil sie auf die Stimmung drücken.

Die farbliche Gestaltung der Praxis

Vorzugsweise sollten pastellige Farben Verwendung finden. Generell sollten Braun, Grau und Schwarz keine Verwendung finden. Es spricht aber nichts dagegen, diese Farben in geringem Umfang zum Setzen von Akzenten zu verwenden. Lehmfarbene Töne oder auch Wandfarben, die Lehmbeschlag imitieren, können, gerade in der Stadt, Natürlichkeit und Geborgenheit vermitteln.

> **Die farbliche Gestaltung sollte dem Klienten Geborgenheit vermitteln**

Der Haussegen

Der Haussegen ist ein Mobile, daß in Europa seit ältester Zeit über Stellen im Haus, die eine für die Bewohner positive Energie ausstrahlten, angebracht wurde. Hing der Haussegen schief, konnte er seine Aufgabe, die lebensfördernden Kräfte im Wohnraum zu verteilen, nicht mehr erfüllen. Wurde er wieder gerade ausgerichtet, stabilisierten sich die Kraftfelder im Raum und Harmonie breitete sich verstärkt im Gebäude aus. Wer selbst mit der Wünschelrute oder dem Pendel umzugehen gelernt hat, kann sich leicht selbst entsprechende Plätze suchen. Andernfalls lohnt es sich, eine Fachkraft zu engagieren. Für den Haussegen eignen sich am besten Naturmaterialien, also Holz, Stroh, Blätter, Federn, Heilsteine und dergleichen. Nur wer sich gut mit der Handhabung feinstofflicher Energien auskennt, sollte einen Haussegen aus Metall verwenden. Metalle wirken sehr stark und spezialisiert. Durch eine Fachperson ausgewählt und korrekt angebracht, kann ein aus Metall bestehender Haussegen große positive Kräfte freisetzen. Aber genauso kann er, wenn unpassend ausgewählt und angebracht, Schwierigkeiten begünstigen. Wer handwerklich geschickt ist, wird sicher viel Spaß daran haben, selbst ein

> **Der Haussegen stabilisiert die Kraftfelder im Raum und harmonisiert das ganze Haus**

solches Mobile für seine Lebensberatungspraxis herzustellen. Ein breites Sortiment von Windspielen aus Naturmaterialien aller Art gibt es aber auch in Fachgeschäften für Kinderspielzeug und alternativen Einrichtungshäusern.

Klangspiele

Im Eingangsbereich kann, wie schon oben erwähnt, ein Klangspiel helfen, die durch die Außentür hereinströmenden Schwingungen zu harmonisieren und die Stimmung der Eintretenden anzuheben. Selbst, wenn ein Klangspiel nicht angeschlagen wird, bringt es diese Wirkung hervor. Auch im Beratungszimmer kann ein Klangspiel die Atmosphäre verbessern. Viele Händler bieten Klangspiele mit bestimmten Planetentönen an, die dann passend für die thematischen Schwerpunkte der Beratungspraxis ausgewählt werden können.

Kerzen ...

... fördern eine heimelige und besinnliche Stimmung der Geborgenheit. Besonders geeignet sind echte Bienenwachskerzen (aus hundertprozentigem Bienenwachs), da sie nicht nur gut duften, sondern auch störende feinstoffliche Einflüsse, zum Beispiel von Stromleitungen, Erdstrahlungen oder Richtfunkstrecken, mildern können. Ist an oder hinter einer Wand des Beratungsraumes ein Sicherungskasten, sollten dort zwei oder drei große Bienenwachskerzen aufgestellt werden. Schon unsere keltischen Vorfahren wußten um den harmonisierenden Effekt dieses Naturmaterials und brachten über den Eingangstüren ihrer Häuser Bienenstöcke an, um die in das Gebäude fließenden Energien für die Bewohner positiv auszurichten.

> **Bienenwachskerzen mildern schädliche Energieeinflüsse**

Der Herrgottswinkel

In alter Zeit gab es in jedem Haus einen kleinen Hausaltar, im Süden Deutschlands oft Herrgottswinkel genannt. In den sogenannten „zurückgebliebenen" Ländern der dritten Welt gibt es diesen Brauch heute noch. In Indien konnte ich sogar in jedem Lkw und jedem Taxi und sehr vielen Personenwagen so einen kleinen Altar sehen.

Der Sinn eines Hausaltars ist es, die Schöpferkraft ganz bewußt in die Wohnung einzuladen und einen Platz zu haben, wo die Einstimmung auf ihre Gegenwart besonders leicht fällt. Meiner Ansicht nach gehört so etwas in jede Lebensberatungspraxis, wenn der Berater nicht prinzipiell Nihilist oder Atheist ist. Das Tagwerk wird ganz anders begonnen, wenn vor Beginn der Beratungen noch in einem stillen Gebet die persönlichen Sorgen und Ängste an die Schöpferkraft übergeben werden, damit sie den Berater nicht bei seiner Arbeit behindern und der Segen Gottes, wie auch immer er genannt wird, für den Tag erbeten und empfangen wird.

> Ein Hausaltar lädt die Schöpferkraft ganz bewußt in die Wohnung ein

Wie wird nun ein Hausaltar eingerichtet? Ein kleines Tischchen oder eine Ecke auf dem Boden reicht völlig aus. Ein Tuch in Pastelltönen oder mit einem schönen Muster bedruckt bildet die Unterlage. Weiter braucht es eine Kerze und einen Räucherstäbchenhalter und ein Bild oder eine anderes Symbol, das für den Berater eine spirituelle Bedeutung hat. Einige Kraftobjekte wie Federn, besondere Heilsteine oder Holzstücke können, aber müssen nicht sein.

Raumreinigung mit einer speziellen Blütenessenzenmischung

Es gibt eine Bachblütenmischung, die sich gut eignet, um den harmonischen Fluß der Energien in einer Beratungspraxis zu fördern. Die Mischung wird in einen Sprühflakon

gegeben und im Raum in die Luft gesprüht. Pro 100 ml
Wasser zum Verdünnen werden vier bis sechs Tropfen jeder
Essenz verwendet.

Raumreinigungsessenz:

*Walnut, Crab Apple,
White Chestnut, Oak*

Dieses energetische Mittel hilft Berater und Klient gleichermaßen, im Fluß zu bleiben und so das beste aus jeder
Sitzung zu machen. Es läßt sich auch zur Aurareinigung
verwenden.

Aromaessenzen für die Beratungspraxis

Mit passend ausgewählten Düften kann jede Beratung sinnvoll unterstützt und eine angenehme Atmosphäre gefördert
werden. Ich empfehle den Einsatz von Duftlampen statt von
Räucherstäbchen, da letztere für viele Menschen einen zu
aufdringlichen Geruch verbreiten.
    Es sollten immer Aromaessenzen aus naturreinen Stof-
fen verwendet werden. Synthetische können, gerade im Zusammenhang mit Energiearbeit, schädlich oder zumindest
blockierend wirken:

➤ Sandelholz vermittelt Geborgenheit und Optimismus
➤ Rose und Ylang-Ylang unterstützen das Einlassen, helfen, das Herz zu öffnen und vermitteln Fröhlichkeit.

➤ Minze fördert bei Beratungen das Verständnis von Sinn-
zusammenhängen, die Intuition und belebt. Minze darf
nicht verwendet werden, wenn homöopathische Mittel
eingenommen werden, weil die Wirkung der homöopa-
thischen Heilmittel durch die starken Energien der Pflanze
gelöscht wird.

➤ Lavendel wirkt stimmungsaufhellend, beruhigend und
reinigend.

➤ Bergamotte lindert Streß und besänftigt Ängste, hellt de-
pressive Stimmungen auf und regt leicht an.

➤ Die Wirkung des Duftes einer Bienenwachskerze habe
ich oben schon etwas umrissen. Ich weise hier noch
einmal darauf hin, weil dieses kleine Stilmittel wirklich
einen sehr harmonisierenden Einfluß auf die Umgebung
ausübt. Wer es einmal ausprobiert hat, wird es so schnell
nicht mehr missen wollen.

Ein passendes Getränk
für Lebensberatungen

Wer seinen Klienten Getränke während der Sitzungen ser-
viert, sollte statt Schwarztee und Kaffe, Wasser oder zufällig ausgewählten Kräuter- oder Früchtetee mal einen
Tee aus frischer Zitronenmelisse ausprobieren. Töpfchen
mit Melissenpflanzen gibt es im Han-
del, und wenn einige davon in der Teeküche auf das Fensterbrett gestellt und
regelmäßig gegossen werden, sind
immer frische Blätter für die Zuberei-
tung des Tees zur Hand. Auf eine Kan-
ne mit etwa 0,4 Liter Inhalt reichen vier
bis sechs Blätter. Das Wasser sollte

> **Tee aus frischer Zitronenmelisse – ein optimales Getränk für die Lebensberatung**

zwar gekocht haben, aber beim Aufgießen nur noch heiß
– etwa 50 bis 60 Grad – sein, damit die Wirkstoffe nicht
durch zu große Hitze zerstört werden.

Melissentee wirkt eigenartigerweise zugleich sanft anre-
gend und stimmungsausgleichend. Er läßt keine Überdreht-

heit aufkommen und bringt das Bewußtsein dazu, sich harmonisch auf die tieferen Schichten des Unterbewußtseins und des Körperbewußtseins einzulassen. Außerdem regt Melissentee die Gehirntätigkeit an.

Verschiedene Tips

➤ Der Besprechungsraum sollte so gut schallisoliert sein, daß in den angrenzenden Räumen die Gespräche unhörbar sind. Im Zweifelsfall hilft die Anbringung einer Doppeltür, eine lärmdämmende Tapete und eine Plazierung des Besprechungsraumes möglichst weit entfernt vom Wartezimmer und eventuell privat genutzten Räumen.

➤ Das WC sollte immer sauber, geruchsfrei und einladend sein. Saubere Handtücher sind selbstverständlich. Ausreichend Toilettenpapier mit mindestens einer Reserverolle, eine Packung frische Damenbinden und Beutel für benutzte Damenbinden/Tampons sollten ebenso vorhanden sein, wie appetitlich aussehende Seife, ein Spiegel und ein Kleiderhaken. Gibt es kein Fenster im WC, sollte eine Lüftung mit Ventilator gelegt werden, der am besten automatisch beim Einschalten des Lichts anspringt und noch einige Minuten nach dem Ausschalten des Lichts nachläuft.

➤ Vor der Eingangstür sollte eine Abtrittsmatte für groben Schmutz plaziert werden und nach der Tür eine weitere für feinen Schmutz. In den Flur oder den Warteraum gehört neben die Garderobe ein Schirmständer, damit nasse Regenschirme keine Lachen auf dem Boden hinterlassen.

➤ Wenn in dem Beratungsraum viel auf dem Boden gearbeitet wird, ist es sinnvoll, die Klienten zu bitten, vor dem Betreten des Raumes die Schuhe auszuziehen. Es sollten in diesem Fall einige Paar Hausschuhe in verschiedenen Größen bereitstehen, falls jemand zu kalten Füßen neigt.

➤ Wenn in der Teeküche auch Essen gekocht wird, sollte auch hier auf gute Lüftung geachtet werden und zusätzlich eine Dunstabzugshaube eingebaut werden. Es wirkt sehr störend, wenn nach dem Mittag die Praxis noch Stunden von intensiven Essensgerüchen durchzogen ist oder vielleicht sogar jeder neue Klient mit geschlossenen Augen raten kann, was denn in der Teeküche in den letzten sechs Wochen am meisten gekocht wurde. In diesem Zusammenhang ist es vielleicht interessant, daß sich Gerüche in Räumen, die sehr durch Störfelder belastet sind, in denen die Energie leicht „steht", besonders hartnäckig halten. In solchen Fällen sollten anhand der Feng-Shui-Tips die Räume gründlich überprüft und von einem erfahrenen Rutengänger (Radiästhesisten) ausgemessen werden.

➤ Die Termine der Klienten sollten nach Möglichkeit so gelegt werden, daß sie einander nicht begegnen müssen. Manche Menschen haben Angst davor, ihre Arbeitskollegen oder Freunde könnten erfahren, daß sie zum Beispiel zu einem Kartenleger oder Astrologen gehen.

Auch gutes Feng Shui kann nicht alles

Abschließend möchte ich betonen, daß Feng Shui fachliche Kompetenz und persönliche Einsatzbereitschaft nicht ersetzen kann, doch kann ein gutes Feng Shui das Gedeihen der Beratungspraxis in jeder Hinsicht zu fördern. Es vermag aber mangelnde persönliche und fachliche Kompetenz und zu geringe Einsatzbereitschaft nicht zu überdecken. Mit anderen Worten: Wer sich nicht anstrengt und nur über mangelhaftes Fachwissen verfügt, wird auch mit bestem Feng Shui in seiner Praxis weder reich werden noch seine Klienten gut beraten.

Kapitel IV

Vernetzung

Unter „Vernetzung" verstehe ich die Zusammenarbeit mit Menschen, die in angrenzenden Berufen tätig sind. Auf der nächsten Doppelseite findest Du eine Checkliste dazu.

Warum vernetztes Arbeiten wichtig ist

Ein Lebensberater kann unmöglich alle für seine Klienten wichtigen Dienst- und Sachleistungen erbringen. Andererseits kann er eine ungemein wichtige Funktion erfüllen: die genaue Erfassung der Bedürfnisse seines Klienten und die Anbahnung von Beziehungen zu Menschen, die in der Lage sind, diese Bedürfnisse auf möglichst hohem fachlichem und persönlichen Niveau zu erfüllen. Natürlich gibt es Lebensberater, die aufgrund ihrer Ausbildung verschiedene Leistungen, die ich in der Checkliste genannt habe, selbst abdecken können und in diesem Fall ist die Zusammenarbeit mit Außenstehenden nur bei Fällen akuter Arbeitsüberlastung, Krankheit oder Urlaub wirtschaftlich sinnvoll.

Gute Kontakte sind in der Lebensberatung genauso wie praktisch in jeder Branche Gold wert.

Viele Klienten leben einfach in einer Umgebung, die nicht geeignet ist, ihre Entwicklung zu fördern. Sie sind vielleicht bei Zahnärzten in Behandlung, die immer noch auf

Checkliste Vernetzung

➢ Ärzte, Psychiater, Zahnärzte, die naturheilkundlich orientiert arbeiten oder zumindest Naturheilkunde und Patienteninitiative wohlwollend gegenüberstehen; Heilpraktiker; Mediziner, die sich auf die Behandlung von Allergien spezialisiert haben; Homöopathen; Zahnärzte, die sich auf Herd- und Amalgamsanierung verstehen
➢ Masseure und Krankengymnasten mit ganzheitlichem Arbeitsverständnis; Sprachheiltherapeuten; Feldenkraislehrer; Yogalehrer; Lehrer für Alexandertechnik, Autogenes Training, Zilgrei, Eutonie, Heileurhythmie
➢ Ernährungsspezialisten: zum Beispiel Diplom-Oecothropologen und Mediziner, die sich auf Orthomolekulare Therapie (Heilen mit hochdosierten Vitaminen, Mineralstoffen, Spurenelementen und anderen Vitalstoffen) spezialisiert haben
➢ Ganzheitlich arbeitende Schulen zur Verbesserung der Sehfähigkeit
➢ Psychotherapeuten allgemein und Spezialisten, die versiert sind in der Behandlung von:
 – sexuellem Mißbrauch
 – verhaltensgestörten Kindern und Jugendlichen
 – Suchtproblemen
 – Magersucht und Bulimie
➢ Rutengänger (für die Entstörung von Wohn- und Arbeitsräumen)
➢ Baubiologische Berater und entsprechende Untersuchungslabors
➢ Selbsthilfegruppen wie:
 „Guttempler", „Anonyme Alkoholiker", „Anonyme Eßsüchtige", „Anonyme Spieler"; „Hyperaktive Kinder"; „Psychiatriegeschädigte", „Zöliakiekranke Kinder"
➢ Frauenhäuser sowie Beratungsstellen für Frauen

➤ Ganzheitlich arbeitende Hebammen, Laktationsbera-
terinnen (Spezialistinnen für die Beratung stillender
Mütter), La Leche Liga (Verein für die Förderung des
Stillens) und Geburtshäuser
➤ Ganzheitlich arbeitende Handwerker
➤ Ganzheitlich orientierte Alten- und Krankenpflegeun-
ternehmen
➤ Vertrauenswürdige Bioläden und Biobauernhöfe mit
guter Beratung
➤ Kundenfreundlich arbeitende Versicherungs- und Ka-
pitalanlageberater
➤ Ganzheitlich arbeitende Kosmetikpraxen
➤ Schuldnerberatung
➤ Seminarleiter, die Themen wie etwa „Selbsthilfe mit
Bachblüten", „Homöopathische Hausapotheke", „Shi-
atsu", „Reiki", „Polarity", „Fußreflexzonenmassage"
unterrichten
➤ Buchhandlungen mit größerer Esoterik- und Alterna-
tivmedizin-Abteilung oder entsprechende Fachge-
schäfte

Bitte beachten:
Die hier genannten Fachbereiche sind natürlich weder vollständig noch müssen alle in dem Netzwerk abgedeckt
werden. In der Praxis reicht die engere Zusammenarbeit
mit einigen Spezialisten und eine umfangreiche Adressensammlung, um im Bedarfsfall weiterhelfen zu können.

Amalgam schwören, bei Ärzten, die jeden grippalen Infekt
mit Antibiotika und jede Hautreizung mit Cortison kurieren
zu müssen glauben. Es ist nicht jedem bekannt, daß ein
erfahrener Rutengänger viel dazu beitragen kann, hartnäk-
kige Erkrankungen durch örtliche Erkundungs- und Entstö-
rungsmaßnahmen doch noch heilbar zu machen und auch
nicht, daß Ischias und andere Rückenleiden, Haltungspro-
bleme und Plattfüße durch Unterricht bei zum Beispiel Alex-

andertechnik- oder Feldenkraislehrern oftmals drastisch zu bessern, wenn nicht gar zu beseitigen sind. So manches finanzielle Problem wird mit der tatkräftigen Unterstützung eines versierten Versicherungs- oder Kapitalanlagespezialisten lösbar und für viele Süchtige war der Gang zu einer Selbsthilfegruppe eine echte Rettung.

> **Vernetztes Arbeiten ermöglicht es, Lebenskrisen aus verschiedenen Perspektiven zu betrachten und so Lösungen zu finden**

Vernetztes Arbeiten ist meines Erachtens die einzige Art und Weise, wie ein Lebensberater überhaupt langfristig seine Funktion wirklich gut erfüllen kann. Es ist ein Merkmal unseres Informationszeitalters, daß es Spezialisten für das „Informationshandling" gibt. Einer davon sollte der Lebensberater sein.

Natürlich ist es aufwendig und zeitraubend, sich wenigstens die wichtigsten Anschriften zu beschaffen. Deswegen kann beim Windpferd Verlag unter dem Stichwort „Handbuch für Lebensberater" eine umfangreiche aktuelle Adressensammlung bezogen werden, die ich für diesen Zweck zusammengestellt habe.

Häufige Probleme bei der Vernetzung

Es ist sinnvoll, zumindest die Menschen, mit denen häufiger zusammengearbeitet werden soll, persönlich kennenzulernen. Ihre Ausbildung, ihre Art, mit ihrem Beruf umzugehen, ihre persönlichen Eigenarten, Stärken und Schwächen müssen grundsätzlich bekannt sein und diese sollten ebenfalls Gelegenheit haben, den Lebensberater einzuschätzen, der sich mit ihnen vernetzen möchte. Über Rückmeldungen der Klienten, die weiterempfohlen worden sind, können und sollten die ursprünglichen Informationen immer wieder aktualisiert werden. In vielen Fällen reichen allerdings auch detaillierte Empfehlungen von mehreren vertrauenswürdigen Freunden und Bekannten.

Es ist wichtig, sich in groben Zügen über jedes Fachgebiet zu informieren und regelmäßig auf dem laufenden zu
halten. Dies geht wunderbar durch Literatur für Einsteiger.
Auch Seminare und Gespräche mit den entsprechenden
Fachleuten sind nützlich. Diese Art der Verbesserung der
Allgemeinbildung wird Beratungen schnell sehr vereinfachen und vielfältige Anregungen für die eigene Tätigkeit
geben.

Vermittlungsprovisionen im Rahmen der Vernetzung zu
nehmen und zu geben lehne ich persönlich generell ab. Ich
habe damit bis auf wenige Ausnahmen keine guten Erfahrungen gemacht. Ein Lebensberater
sollte unabhängig sein. Wenn er sich auf
das Spiel: „Schickst Du Deine Klienten
zu mir, schicke ich meine zu Dir!" oder
finanzielle Vergütungen für Empfehlungen einläßt, entstehen zu leicht Strukturen, die nur auf dieser Art von Ami-
go-Wirtschaft aufbauen, anstatt auf
persönlicher Sympathie und fachlicher
Kompetenz. Natürlich wird es häufig so

> **Vermittlungen im Netzwerk sollten auf persönlicher Sympathie und fachlicher Kompetenz beruhen**

sein, daß Menschen, die sich gegenseitig persönlich und
fachlich schätzen, auch eher entsprechende Empfehlungen geben werden, solange dies aber nicht fest geregelt ist,
bleibt ein wichtiger Freiraum, der den Klienten des Lebensberaters eine optimale Beratung garantiert und dem Lei-
stungsprinzip die ihm gemäße Beachtung schenkt.

Schwierigkeiten entstehen häufig aus Konkurrenzempfin-
dungen und etwas, was ich als „Therapeutenübersensibili-
tät" bezeichne. Konkurrenzgedanken lassen sich meist ganz
einfach die Spitze nehmen: Klarstellen, am besten schriftlich, welche Leistungen in der eigenen Lebensberatungspraxis angeboten werden und sich auch daran halten. Kommen
weitere Leistungen dazu, sollten die anderen Mitglieder des
Networks darüber schriftlich und nicht zu knapp informiert
werden. Diese Leistungsbeschreibung sollte natürlich wohl-
überlegt verfaßt werden. Neben der Beseitigung unbegrün-
deter Konkurrenzängste ist diese Auflistung auch gleichzei-

tig ein wichtiges Hilfsmittel für etwaige Empfehlungen an den Lebensberater. Mit Menschen, die generell voller Mißtrauen, Angst, Futterneid und Konkurrenzstrukturen sind, die mit ihren Beratungen, egal in welchem Fachgebiet, immer Recht haben müssen und Zusammenarbeit grundsätzlich skeptisch gegenüberstehen oder mit denen man „einfach nicht warm wird", würde ich mich prinzipiell nicht vernetzen. Die in solche Beziehungen gesteckte Energie ist meist vergeudet, und es kommt früher oder später doch zum Bruch.

Außerdem leiden unter solchen Streßbeziehungen auch die Fortschritte der Klienten.

> **Wichtig ist der persönliche Kontakt zu den anderen Spezialisten im Netzwerk**

Wichtig ist der persönliche Kontakt zu den anderen Spezialisten. Oft sind Treffen nicht in kurzen Zeitabständen möglich, dann tut es auch mal ein Telefonat. Vielleicht lohnt es sich aber auch, mit mehreren Mitgliedern des Networks regelmäßige Zusammenkünfte zu vereinbaren, damit sich alle besser kennenlernen und ihre Leistungen gut aufeinander abstimmen können. Leicht entstehen aus solchen Gruppen nach der Bewältigung der üblichen Anfangsschwierigkeiten hocheffektive Arbeitsgemeinschaften.

Schwierigkeiten können mitunter durch Klienten entstehen, die negative Vaterprojektionen* gegenüber dem Berater haben und dessen Partner im Netzwerk kontaktieren, um sie über „die Unfähigkeit und Bösartigkeit" des Beraters aufzuklären. Hier hilft nur das Verständnis von Phänomenen wie Widerstand und Übertragung und natürlich das offene Gespräch untereinander, um Mißverständnissen vorzubeugen und den Klienten, die in eine heftige Übertragungssituation gerutscht sind, wieder aus dieser Problematik herauszuhelfen, die in jeder erfolgversprechenden Lehrer-Schüler-Beziehung irgendwann, wenn auch in unterschiedlicher Stärke und Form auftreten muß.**

---

* vergleiche auch Kapitel „Häufig auftretende Probleme zwischen Berater und Klient und wie sie gelöst werden können"
** Vergleiche dazu auch das Buch „Das Projektionsprinzip"

Selbsthilfegruppen
- Still-Gruppen
- Allergie-Gruppen
- Krebs-Gruppen
- Anonyme Alkoholiker
- Anonyme Spieler
- Magersucht-Gruppen
- Bulimie-Gruppen

Baubiologie
- Baubiologische Berater und Labors
- Radiästhesie
- Verbraucherberatung
- umweltbewußte Handwerker und Hersteller
- Feng-Shui-Berater

Finanzen
- IHK
- Anlageberater
- Immobilien-Makler
- Schuldnerberatung
- Versicherungsvertreter

Medizin
- Psychotherapeuten
- Kliniken
- Psychater und
- Neurologen
- Heilpraktiker
- Ärzte und Fachärzte

Vernetzung

Körpertherapie
- Alexander-Technik
- Zilgrei
- Feldenkrais
- Krankengymnasten
- Masseure
- Kinesiologie

Ernährung
- Fasten-Ärzte/ -Heilpraktiker
- Mayr-Ärzte/ -Heilpraktiker
- Ernährungsberater
- Bioläden
- Öko-Bauernhöfe

Seminarleiter
- Autogenes Training
- Kinesiologie
- Bachblüten
- Meditation
- Ernährung
- Tantra
- Tai Qi
- Qi Gong
- Yoga
- Reiki

Vernetzung ist für mich ein Gebot des Wassermannzeitalters. Vernetztes Arbeiten ist so viel mehr als die Summe der Leistungen der einzelnen Mitglieder. Es fördert nicht nur die Qualität und Effizienz der Beratungen, sondern unterstützt auch die persönliche und fachliche Entwicklung jedes einzelnen Mitglieds. Zu Anfang ist es zwar meist recht mühselig und von einigen Enttäuschungen begleitet, wenn ein solches Umfeld aufgebaut wird, aber ich kann nach beinahe einem Jahrzehnt vernetzten Arbeitens ohne Abstriche sagen, daß es jede Minute investierte Zeit mehr als wert ist.

Ein Netzwerk ist mehr als nur die Summe seiner Teile

Kapitel V

Verschiedene Arten der Lebensberatung

Es ist recht nützlich, Lebensberatungen in vier verschiedene Kategorien mit im großen und ganzen klar voneinander abzugrenzenden Beratungszielen zu unterteilen. Jede einzelne davon wird von mir in diesem Kapitel kurz vorgestellt, und dann wird die jeweilige Vorgehensweise bei der Beratung anhand von Beispielen erläutert.

Die Kurzberatung

Manche Probleme brauchen wirklich nur eine Beratungssitzung, um zufriedenstellend bearbeitet werden zu können. Da sich dies aber nicht unbedingt von vornherein abschätzen läßt, sollten besser keine derartigen „Schnellzugversprechen", womöglich noch am Telefon bei der Terminabsprache, gegeben werden. Wenn sich im Verlaufe der ersten Sitzung herausstellt, daß eigentlich alles relativ einfach zu klären ist – um so besser. Trotzdem würde ich auch in einem solchen Fall einige Wochen später einen Kurztermin von etwa 45 Minuten vereinbaren, um den Beratungserfolg zu überprüfen und nötigenfalls ergänzende Maßnahmen zu treffen.

Welche Themen eignen sich
für Kurzberatungen?
➤ Weitergabe von Informationen und Vermittlung von Kontakten, die den Klienten

in die Lage versetzen, seine Schwierigkeiten bewältigen zu können.

Beispiel 1: Ein Klient klagt über Rückenschmerzen, die sich bisher durch die üblichen ärztlicherseits angewandten Therapien nicht gebessert haben. Bei der näheren Untersuchung stellt sich heraus, daß die Schmerzen etwa ein halbes Jahr nach dem Umzug in eine neue Wohnung auftraten. Der Berater empfiehlt einen ihm bekannten Rutengänger, der die Wohnung auf Störfelder hin untersuchen und, wenn nötig, geeignete Harmonisierungsmaßnahmen einleiten kann. Weiterhin gibt er die Adresse eines Feldenkrais-Lehrers weiter, damit die körperlichen Schwierigkeiten direkt behandelt werden können und verweist auf einen Heilpraktiker, der durch Bioresonanzbehandlungen das gestörte Energiefeld des Klienten normalisieren helfen kann. Er bittet den Klienten, den Erfolg der Maßnahmen durch Untersuchungen bei dessen Hausarzt überprüfen zu lassen und diesen über die Vorgehensweise zu informieren.

> **Vom Lebensberater vermittelte Information und Kontakte helfen dem Klienten, sich selbst zu helfen**

Beispiel 2: Ein Klient gibt an, er leide seit mehreren Jahren an seelischen Verstimmungen. Die ganze Welt würde ihm wie durch einen Grauschleier getönt erscheinen. Nichts würde ihm mehr richtig Freude machen, er sähe keinen Sinn mehr im Leben. Der Berater empfiehlt einen Psychotherapeuten und einen Arzt für Homöopathie, da er der Ansicht ist, daß hier eine ernste seelische Erkrankung vorliegen könnte, die eventuell der Versorgung durch Mediziner bedarf. Im weiteren Gespräch klärt er den Klienten über das Thema „Psychotherapie" auf und versucht so die Ängste zu besänftigen, die bisher den Besuch bei einem Psychotherapeuten verhinderten. Der Berater redet auch darüber, was Homöopathie ist, wie sie wirkt und was in der Sprechstunde eines Homöopathen passiert. Dadurch schafft er Vertrauen zu dieser Heilweise und baut die Schwellenangst ab, die immer auftritt, wenn ein Mensch sich auf unbekanntes Terrain vorwagt. Er bittet zum Abschluß den Klienten, ihn wieder aufzusuchen, falls die Untersuchung durch die beiden Mediziner zu keinem Ergebnis führen würde, damit nach anderen Wegen zur Heilung gesucht werden kann.

➤ Vermittlung von Einsichten, um eine breitere Informationsbasis für Entscheidungen zu haben.

Beispiel: Ein Klient möchte seine Arbeitsstelle wechseln. Er hat drei verschiedene neue Stellen angeboten bekommen, die ihm auch alle nach der Sammlung näherer Informationen interessant erscheinen. Er möchte jetzt in der Lebensberatung mittels einer Orakelbefragung herausfinden, welche der drei Arbeitsstellen am besten zu ihm passen würde und ob es Tips gibt, die ihm helfen könnten, bei der neuen Stelle möglichst wenig Eingewöhnungsschwierigkeiten zu haben. Der Berater legt mit ihm zu der Fragestellung mehrmals ein Tarot-Kartenorakel, bis alle wichtigen Aspekte der Situation geklärt sind. Der Klient fertigt sich Notizen über die Orakelauskünfte an, um zu Hause alles noch einmal in Ruhe durchgehen zu können und nichts Wesentliches zu vergessen. Der Berater empfiehlt dem Klienten, einige Wochen nach dem Beginn der neuen Arbeit noch einmal zu einer Sitzung zu kommen, um den positiven Ausgang der Situation zu überprüfen oder, wenn nötig, weitere Maßnahmen zu treffen.

> **Sichere Entscheidungen durch breitere Informationsbasis**

➤ Aufklärung über spirituelle Erfahrungen.

Beispiel: Ein Klient erzählt, er habe vor einiger Zeit ein Buch über Meditation gelesen und, weil ihm dies Thema gut gefallen habe, begonnen zu meditieren. Die Meditationen würde ihm viel Entspannung und manche tiefe Einsicht schenken. Seit ein paar Wochen aber hätte er nach jeder Sitzung einige Stunden lang das Gefühl, nicht richtig zu der Welt um ihn herum zu gehören. Alles sei so unwirklich. Der Berater erklärt, daß bei Meditationen unter bestimmten Umständen ein Ungleichge-

Aufklärung über spirituelle Erfahrungen

- Erdstrahlung und Elektrosmog
- Meditationserlebnisse
- „Besessenheit" und „Schwarze Magie"
- Außerkörperliche Erfahrungen
- Kontakt zu Devas und Engelwesen

Informations-vermittlung

- Literatur
- Lieferanten
- Mediziner
- öffentliche Beratungsstellen
- Therapeuten
- Experten

Kurzberatung

Entscheidungs-findung

- Phantasiereise zu Geistführern
- Channeling
- Orakel
- Gespräch
- Astrologie

wicht in der energetischen Struktur des Körpers ent-
stehen könne, das man als „mangelnde Erdung" be-
zeichne. Er empfiehlt, nach der Meditation etwa zehn
Minuten die Füße und Beine bis zur
Hüfte hinauf zu massieren und da-
nach weitere zehn Minuten leichte
Gymnastik in Form von Tai-Chi-
Übungen zu betreiben. Zusätzlich rät
er, einen Tag in der Woche nicht zu
meditieren und stattdessen einen
Tanzkurs zu besuchen, um auch im
Lebensumfeld mehr Erdungsanrei-

> **Der Lebensbera-
> ter hilft dabei,
> neue, ungewohn-
> te Erfahrungen
> richtig einzu-
> ordnen**

ze zu schaffen. Der Klient hat keine Probleme damit,
die Ratschläge anzunehmen und versteht die Erläute-
rungen des Beraters. Der Berater empfiehlt, in ein bis
zwei Monaten einen weiteren Termin zu buchen, um zu
überprüfen, ob die Maßnahmen den gewünschten Erfolg gebracht haben oder gegebenenfalls eine passen-
dere Vorgehensweise auszuarbeiten.

Die Lebensphasenberatung

Es gibt Zeiten im Leben, da läuft alles wie geschmiert. Und
es gibt solche, da scheint überall der Wurm drin zu sein.
Bestimmte Anlässe machen Lebensberatungen bevorzugt
notwendig ...
  Der Auszug aus dem Elternhaus; das erste Kind; die Be-
rufswahl; Arbeitslosigkeit; Trennung oder Scheidung; Tod
des Partners oder eines nahen Angehörigen oder guten
Freundes; eine schwere Krankheit; ein schwerer Unfall; eine
plötzlich auftretende körperliche Behinderung; ein Umzug;
ein Wechsel des Arbeitsplatzes; Karriereprobleme; das sinnvolle Abstimmen von beruflichen Anforderungen und Kar-
rierewünschen auf ein glückliches Privatleben.
  Der Beratungswunsch entsteht dann in einer schwierigen Lebensphase und ist vornehmlich auf deren Bewältigung ausgerichtet. Hier ist der Berater gefordert, sorgfältig

zu klären, inwieweit die Stromschnellen im ansonsten scheinbar ruhigen Fluß des Lebens eine Vorgeschichte haben: Sind die Probleme wirklich beinahe aus dem Nichts heraus entstanden oder bauten sie sich langsam und nahezu unbemerkt über längere Zeit auf, um dann durch ein paar äußere Einflußfaktoren kurzfristig und vehement entfesselt zu werden.

> Die Lebensphasenberatung ist auf die Bewältigung von kurzfristigen, akuten Krisen ausgelegt

Manchmal gibt es tatsächlich Schwierigkeiten ohne direkte Vorgeschichte, und in diesen Fällen ist es müßig, unbedingt mit allen Kräften in der Vergangenheit nach Ursachen zu bohren. Doch oft gibt es einen Nährboden, der lange vorher aufgebaut wurde, und diese Struktur muß der Lebensberater zum einen dem Klienten bewußt machen und zum anderen Hilfestellung bei der Harmonisierung der Ursachen und natürlich auch der aktuellen Auswirkungen geben. Auch hier ist oft die Vermittlung von Kontakten wichtig.

Beispiel 1: Ein Klient bucht eine Beratung, weil er seit längerer Zeit arbeitslos ist und diesen Zustand gerne ändern möchte. Er hat zwar diverse Anläufe genommen, aber irgendwie kam immer etwas dazwischen. Der Berater klärt erst einmal die Entstehungsgeschichte der Arbeitslosigkeit ab und stellt fest, daß bei der letzten Stelle schon mindestens zwei Jahre lang die innere Kündigung ausgesprochen und der Klient zu einem guten Teil recht zufrieden war, als das Unternehmen wegen konjunktureller Probleme Arbeitsplätze abbauen mußte und er mit auf der Liste stand. Die äußere Kündigung folgte nur der inneren Abwendung vom Arbeitsplatz. Der damals aufgebaute Frust gegenüber der Arbeit begleitet den Klienten immer noch im Unterbewußtsein und verhindert subtil, aber wirksam den Antritt einer neuen Arbeitsstelle. Als erste Maßnahme empfiehlt der Berater die Teilnahme an einer Selbsthilfegruppe für Arbeitslose und hilft dabei, Schwellenängste abzubauen. Dann bietet er eine Serie von Reiki-Sitzungen an, damit es seinem Klienten leichter fällt, entspannt und konstruktiv mit

dem Thema umzugehen. Als dem Klienten nach einem Vier-
teljahr sogar gleichzeitig zwei Stellen angeboten werden,
hilft der Berater mit einer Tarotsitzung bei der Auswahl und
begleitet durch die ersten Wochen, um die Anfangsschwierigkeiten zu mildern.

Beispiel 2: Weil er sich immer wieder „zufällig" Partner
aussucht, die sehr weit von ihm entfernt wohnen, kommt
ein Klient in die Beratung. Durch seine freiberufliche Tätigkeit kommt er viel rum und verguckt sich immer in Menschen des anderen Geschlechts, deren Heimat für ihn fast
nur mit dem Flugzeug zu erreichen ist. Er versteht nicht,
wie er das schafft und möchte gerne auch mal jemanden
lieben lernen, der „um die Ecke" wohnt. Gelegenheiten hätte
er dazu an sich genug, aber irgendwie funkte es in der Heimat nie. Der Berater findet nun mittels einer Auralesung
heraus, daß das Solarplexuschakra des Klienten stark blok-
kiert ist. Da dieses feinstoffliche Energiezentrum unter anderem die Aufgabe hat, für die Abgrenzung gegenüber anderen Menschen zu sorgen, hat sein Unterbewußtsein die
Lösung gefunden, sich immer Partner zu suchen, die so
weit weg wohnten, daß nur eine geringe Gefahr bezüglich
zu intensiver Nähe bestand. Mittels Heilsteinarbeit hilft der
Berater bei der Lösung der Blockade und dem Aufbau der
Leistungsfähigkeit des Chakras. Durch Gespräche macht
er seinem Klienten die Zusammenhänge klar und ermun-
tert ihn, nachdem das Energiezentrum über mehrere Sitzungen harmonisiert und gestärkt wurde, zu einem neuen
Anlauf. Einige Wochen später berichtet der Klient, daß er
jetzt tatsächlich einen Partner in der Nähe gefunden habe.
Zwar sei es noch die 40 Kilometer entfernte Nachbarstadt,
aber immerhin nicht mehr Paris oder Brüssel.

Beispiel 3: Ein Student ist durch die Prüfung gefallen, weil
er durch einen Unfall im Urlaub am Lernen gehindert wurde. Jetzt bereitet er sich auf den nächsten Prüfungstermin
vor und merkt dabei, daß er große Angst hat, auch diesmal
könne irgend etwas schiefgehen. Der Berater untersucht
die Vorgeschichte des Falles, kann aber außer einer allgemeinen leichten Schwierigkeit, mit Leistungsdruck umzu-

Prüfungs-vorbereitung
- Ängste harmonisieren
- Entspannungstraining
- Mentale Vorbereitung
- Lernstrategie erarbeiten

Das erste Kind
- Kommunikation mit dem Ungeborenen
- Aufarbeitung von Umstellungsproblemen
- Literatur/Videos
- Kontakte zu Hebammen/ Ärzten/Stillgruppen

Berufswechsel
- Entscheidungshilfe
- Kontakte vermitteln
- Orakelarbeit
- Umstellungsprobleme bearbeiten

Umzug
- Streßrelease
- Loslassen
- Einlassen
- Freunde
- Baubiologie

Lebensphasen-beratung

Tod des Partners
- Neuorientierung
- Trauerarbeit

Scheidung/ Trennung
- Loslassen
- Vergebungsarbeit
- Trennungsursachen klären

Partnerwahl
- Entscheidungshilfe
- Aufarbeitung von Beziehungsblockaden
- Orakelarbeit
- Klärung eigener Wünsche

Schwere Krankheit
- Angstbewältigung
- Energetische Genesungshilfe
- Adressen
- Literatur

Wechsel des Arbeitsplatzes
- Entscheidungshilfe
- Umstellungsprobleme bearbeiten

gehen, nichts finden, was eine tiefere Ursache der Problematik darstellen könnte. Er hilft seinem Klienten durch Autogenes Training und Reiki-Mentalheilungen dabei, sich auch unter größeren Belastungen entspannen und gelassen reagieren zu können. Dieser besteht dann auch die nächste Prüfung.

Das Coaching

Das Coaching ist eine Form der Lebensberatung, in der es in erster Linie um die Verbesserung der Leistungsfähigkeit des Klienten und die Steigerung seines beruflichen Erfolges geht. Diese Zielsetzungen bedingen natürlich eine Art Gratwanderung für den Berater, über die der Klient aufgeklärt werden muß. Es ist sicher vollkommen in Ordnung, die Lern- und Konzentrationsfähigkeit oder die sportliche Leistungsfähigkeit verbessern zu wollen und natürlich auch, im Beruf voranzukommen. Aber nicht um jeden Preis! Es muß sorgfältig abgeklärt werden, welche Auswirkungen die Erfolgsmaximierung auf den Rest des Lebens des Klienten hat, damit nicht mit viel Aufwand ein Turm gebaut wird, der wenig später wegen zu schwacher Fundamente einstürzt:

> **Im Coaching geht es primär um eine Verbesserung der Leistungsfähigkeit**

➤ Ist zum Beispiel weiterhin genug Zeit für die Familie, die Freunde und wichtige Hobbies da, oder würde ein dramatischer Abbau der engen sozialen Kontakte die Folge einer forcierten Karriere sein?

➤ Ist der Klient bereit, unter höherem Leistungsdruck zu arbeiten, und ist er in der Lage, trotzdem im Privatleben halbwegs abschalten zu können?

➤ Kommt er damit zurecht, ohne seine seit Jahren mit ihm befreundeten Kollegen, in einer höheren Position, mit neuen Mitarbeitern, die er kaum kennt, die gestiegenen Anforderungen zu erfüllen?

➤ Fühlt er sich wohl mit dem Gedanken, praktisch nur noch mit dem Kopf anstatt mit den Händen zu arbeiten?

➤ Ist seine Gesundheit stabil genug für die höheren Anforderungen? Wann hat er sich zum letzten Mal bei einem Mediziner einer gründlichen Untersuchung und einem Leistungstest unterzogen?

Ein häufiges Problem von Führungskräften ist die zu hohe innere Anspannung. Prinzipiell kann der Lebensberater natürlich einfach ein Entspannungstraining mittels NLP, Progressiver Muskelrelaxation, Reiki, Autogenem Training oder Yoga durchführen, doch es kann sein, daß dabei nicht viel herauskommt. Warum? Meiner Erfahrung nach liegt einer solchen Situation häufig ein falsches Weltmodell des Klienten zugrunde. Wer zum Beispiel glaubt, nur deswegen liebenswert zu sein und Respekt zu verdienen, weil er hohe Leistungen vollbringt -nicht weil er gute Ergebnisse vorweisen kann oder ein Mensch ist, der sich bemüht, aufrecht und geradlinig durchs Leben zu gehen! – muß sich persönlich ständig überfordern. Er muß ständig selbst viel tun und darf Arbeit weder delegieren noch Arbeitsabläufe vereinfachen und sich auf diese Weise Streß vom Hals schaffen.

> **Manchmal muß geklärt werden, ob der Klient seine Funktion mit seiner Person verwechselt**

Der Berater sollte deswegen in einem solchen Falle immer erst sorgfältig abklären, ob sein Klient seine Funktion mit seiner Person verwechselt. Erst wenn diese unheilige Verbindung gelöst worden ist, wird das Unterbewußtsein Entspannungsangebote direkter und indirekter Art annehmen. Ansonsten würde es davon ausgehen, daß jede Entspannung, jede Vereinfachung oder Delegation der Arbeit, jedes berufliche Zurückstecken gleichbedeutend damit wäre, weniger liebenswert, weniger wert und geachtet zu sein.

Weiterhin muß die Motivation für das Streben untersucht werden, damit nicht etwas gefördert wird, was dem wirklichen Wunsch gar nicht entspricht. Zum Beispiel kann es

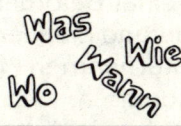

Gesundheit stabilisieren Belastbarkeit steigern

- Konditionstraining
- Ernährung
- Medizinische Probleme bearbeiten lassen

Entscheidungs-hilfe

- Welche Stelle?
- Wann und wie weiterbilden?
- Berufsinterne Entscheidungen

Lern-/ Konzentrations-training

Kommunikations-training

- Sympathie erzeugen
- Einstellen auf Gesprächspartner
- Was will ich wirklich mitteilen

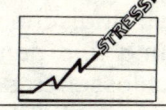

Informationen vermitteln

- Literatur
- Weiterbildung
- Videos
- Experten

Coaching-Beratung

Streßrelease

- Streßauslöser bestimmen und entschärfen
- Entspannungstechniken üben

individuelle Karriereplanung

- was will ich wirklich
- Private und berufliche Zusammenarbeit aufeinander abstimmen
- Wann ist welcher Karriereschritt für mich sinnvoll

Harmonie Beruf/ Privatleben herstellen

- Patrnerberatung
- Persönlichkeits-entwicklung

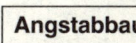

Umstellungs-probleme bewältigen

- Neue Kollegen
- Neue Aufgaben
- Mehr Verantwortung
- private Krisen durch Karriere

Angstabbau

- Positive Lebenseinstellung
- Gesundes Selbstbewußtsein
- Spezielle Ängste finden und harmonisieren
- Die eigene Kraft nutzen lernen

sein, daß ein Klient nach einer Beförderung strebt und sich gegen den heftigen Widerstand etablierter Kreise von Führungskräften in dem Unternehmen, für das er arbeitet, bemüht, nach oben zu kommen. Erst im Verlaufe einiger Sitzungen wird ihm klar, daß er in diesem Umfeld gar keine Führungsaufgaben übernehmen möchte. Daß er mit solchen Kollegen, die nichts Besseres zu tun haben, als den lieben langen Tag Intrigen zu spinnen und andere unten zu halten, gar nicht zusammenarbeiten möchte. Nachdem der Berater ihm Zeit gelassen hat, diesen wichtigen Bewußtwerdungsprozeß zu verdauen, knobeln die beiden in den nächsten Sitzungen aus, welche anderen Unternehmen für den Fortschritt der Karriere in Frage kommen. Durch eine astrologische Analyse wird eine geeignete Zeit für Kündigung und den Antritt einer neuen Stelle in einem aufgeschlosseneren Unternehmen mit einem humaneren Arbeitsklima gefunden und einige passende Firmen ausgewählt.

> **Eine sorgfältige Analyse des Ziels vermeidet oftmals Enttäuschungen**

Im Verlaufe der Bewerbungen und Vorstellungsgespräche wird bald klar, daß ein bestimmtes Unternehmen wie maßgeschneidert für den Klienten ist. Die Bewerbung führt zum Erfolg. So wurde durch eine sorgfältige Bearbeitung des Themas vermieden, mit Volldampf in eine Sackgasse zu fahren.

Die Ausbildung

Menschen, denen daran gelegen ist, das Beste aus ihrem Leben zu machen, suchen Möglichkeiten, sich darin unterrichten zu lassen, wie die ganzheitliche Lebensqualität nachhaltig zu steigern ist, auch wenn zur Zeit keine größeren Schwierigkeiten bewältigt werden müssen. In solchen Fällen besteht der Einstieg in die Lebensschule zwar meist auch aus Einzelsitzungen, aber besser geeignet sind meiner Erfahrung nach Gruppen von 8 bis 12 Personen, die sich regelmäßig treffen, um „besser leben zu lernen".

In diesem Rahmen können dann esoterische Weltmodelle wie die Gesetze des Hermes Trismegistos, das I Ging, Astrologie oder das Tarot besprochen werden. Die so gewonnenen Einsichten können mittels Übungen in der Gruppe und geeigneten Hausaufgaben in die Praxis umgesetzt und auf das eigene Leben angewendet werden.

Einige Selbsthilfemethoden wie Entspannungsübungen, Orakelarbeit, Bachblüten, Heilsteinarbeit, Aromatherapie oder Shiatsu helfen den Teilnehmern des Kurses, eigenständig etwas für ihre Entwicklung zu tun und Krisen leichter meistern zu können.

Diskussionen in der Gruppe und Vorträge, die die Teilnehmer schon bald weitgehend selbständig erarbeiten, schaffen eine offenere Lebenseinstellung und mehr Selbstbewußtsein.

Allein durch die vielseitigen Anregungen und Erfahrungen wird sich die Lebensqualität jedes Teilnehmers mit der Zeit deutlich verbessern. Wie immer bei grundlegenden Änderungen der Lebensweise und der Lebenseinstellung wird es natürlich auch des öfteren zu Krisen kommen. Ängste vor dem Neuen können in Erscheinung treten, die Familie ist vielleicht verunsichert, und es können vielleicht im Überschwang der Gefühle Aktionen geplant werden, die besser doch im Bereich der Träume verbleiben sollten. Sicher ist es schön für einen Menschen, wenn er sich von Zwängen und Pflichten zu befreien lernt – aber deswegen sollte er nicht seine Familie verlassen und auf unbestimmte Zeit auf Weltreise gehen. Hier muß der Lebensberater natürlich zusätzlich zu den Ausbildungsstunden in der Gruppe, wenn es angebracht erscheint, Einzelsitzungen anbieten, damit der Prozeß der Persönlichkeitsentwicklung in verträglichen Bahnen abläuft und keine Scherbenhaufen angerichtet werden.

> **Der Prozeß der Persönlichkeitsentwicklung sollte in verträglichen Bahnen ablaufen**

**Kommunikations-
training**

- Seminare
- Rhetorik
- Vorträge/Referate
- Diskussionen
- Entspannungstechniken
- Orakelarbeit
- Aromatherapie

**Selbsthilfe-
methoden**

- Massagen
- Heilsteine
- Bachblüten
- Entspannungstechniken
- Orakelarbeit
- Aromatherapie

Ausbildung

**Esoterische
Weltmodelle
kennenlernen**

- Astrologie
- Runen
- Tarot
- I Ging
- Hermes Trismegistos
- Anthroposophie

Kapitel VI

Konstruktive Lösung häufig auftretender Probleme bei Beratungsbeginn

Es gibt eine Reihe mit (un-)schöner Regelmäßigkeit auftretender Probleme, die bei der Vereinbarung von Lebensberatungssitzungen auftreten. Es geht um Dinge wie „Zuwenig Zeit", „Kein Geld", „Geringe Belastbarkeit" und ähnliches. In diesem Kapitel beschreibe ich die Strukturen dieser Hürden näher und erkläre Wege zu ihrer sinnvollen Überwindung.

Die Zeitfrage

Manche Leute haben sich ihr Leben so eingerichtet, daß buchstäblich keine unverplante Minute mehr zur Verfügung steht. In so einem Fall muß natürlich an diesem Problem vorrangig gearbeitet werden. Denn das erste Lebensberatungsgesetz lautet nun mal: „Keine Zeit, keine Beratung!" Es ist nicht unbedingt leicht, einen derartig von seinen Terminen gefesselten Menschen dazu zu bewegen, Freiräume zu schaffen. Denn auch dafür braucht es ja Beratungszeit. Deswegen muß die Chance einer Sitzung genutzt werden, um klarzustellen, daß eine Steigerung der Lebensqualität nur möglich ist, wenn unverplante Freizeit geschaffen wird. Manche Menschen glauben tatsächlich, daß Freizeit dann automatisch beginnt, wenn die Arbeitszeit im Beruf beendet ist. Das stimmt natürlich nicht. Wenn ich mich engagiert und unter hohem Leistungsdruck um diverse Hobbies kümmere und von Fete zu Fete hetze, ist dies ebenso Arbeit. Freizeit ist, wenn nichts geleistet wird. Also schlafen, rumhängen, Belletristik lesen, der Sonne beim Untergehen zuschauen, mit Kindern Sandburgen bauen. Aber am wichtigsten ist dabei die Einstellung, daß jede dieser Tätigkeiten zu jedem Zeitpunkt beendet werden kann, wenn sie in Arbeit auszuarten droht.

Es ist meiner Ansicht nach durchaus legitim, einem Klienten mit einer derartigen Lebensweise drastisch vor Augen zu führen, wieviele Menschen mit ähnlichen Einstellungen Herzinfarkte, Magengeschwüre und Burnout erleiden*. Es ist wichtig, daß eine bewußte Entscheidung getroffen wird, ob unter Berücksichtigung aller Konsequenzen wirklich weiter im ICE-Tempo „gelebt" werden soll. Wenn ein erwachsener Mensch sich kaputtmachen will, hat er meiner Ansicht nach das Recht dazu. Aber er sollte wissen, was er macht und dazu gehört, Illusionen aufzugeben. Und er sollte dafür sorgen, daß von ihm abhängige Menschen nicht mit ins Unglück gezogen werden.

> **Auch zu hoher Leistungsdruck in der Freizeit kann zu körperlichen Symptomen führen**

Wenn eine grundsätzliche Entscheidung für eine harmonischere Lebensgestaltung und eine längere Lebensberatung getroffen wurde, sollte sicherheitshalber der folgende Vertrag geschlossen werden:

Meiner Erfahrung ist eine wirklich starke Motivation nötig, um die unterbewußte Blockaden zu überwinden, die gerne

> Ich (Name des Klienten einfügen) verpflichte mich dazu, für jede Lebensberatungssitzung, die ich gebucht, aber nicht besucht habe, den Betrag (einen angemessenen Betrag einfügen) an (Name und Anschrift einer

---

* Lesetip: „Schöner schuften – Wege aus der Arbeitssucht", J. Orthaus/A. Knaak/ K. Sanders, Verlag Kiepenheuer & Witsch

gemeinnützigen Organisation wie „Aktion Sorgenkind", „Brot für die Welt" oder „Greenpeace" einfügen) zu spenden. Diese Verpflichtung gilt nicht, wenn ich durch Unfälle oder durch Krankheit (ärztliches Attest erforderlich) an der Wahrnehmung des Termins gehindert wurde.

Ort, Datum   Unterschrift

die verfahrene Lebenssituation vor einer Änderung bewahren würden. Weil ich oft genug entsprechende Erfahrungen gemacht habe, würde ich es heute ablehnen, Lebensberatungen mit Menschen zu vereinbaren, die eine entsprechende Struktur haben, wenn sie den Vertrag nicht unterzeichnen wollen. Meist verläuft das Engagement für die Beratungen seitens des Klienten dann nämlich sowieso im Sande.

Die Geldfrage

Eine Lebensberatungspraxis muß sich selbstverständlich wirtschaftlich tragen. Nebenbei Taxi zu fahren und sich ans Fließband zu stellen, um Hilfebedürftige kostenfrei beraten zu können, wie es ein zeitgenössischer griechischer „Meister" allen Ernstes forderte, ist wohl etwas übertrieben. Schließlich wirkt es gelinde gesagt unglaubwürdig, wenn ein Lebensberater seinen Klienten dabei helfen will, sich weniger zu stressen, selbstbewußter zu werden, ihre Bedürfnisse zu respektieren und sich nicht ausbeuten zu lassen, wenn er selbst genau das Gegenteil vorlebt.

Deswegen, aber auch aus anderen Gründen, auf die ich ein wenig später noch ausführlich eingehe, bin ich strikt dagegen, Beratungen umsonst oder zu reduzierten Gebühren durchzuführen. Andererseits gibt es Situationen, in denen Klienten einfach nicht genug „Bares" für meine Beratungen zur Verfügung, aber bestimmte Fähigkeiten haben, die ich gut gebrauchen kann. Prinzipiell spricht nichts gegen das Tauschgeschäft „Zimmer tapezieren gegen Lebensberatungen" oder ähnliches. Zum Regelfall würde ich diese Art der Bezahlung aber nicht machen, und es ist auch wichtig, sich die Menschen, mit denen derartige Abmachungen getroffen werden sollen, genau anzuschauen. Denn nicht jeder hält, was er verspricht. Gerade in meiner Anfangszeit habe ich durch zu blauäugiges Akzeptieren solcher Regelungen eine Menge Federn lassen müssen. Das macht schnell realistisch – oder es führt zur Aufgabe des Berufes.

> **Man sollte sich genau überlegen, wann und bei wem man auf einen Tauschhandel eingeht**

Unbedingt sollte ein klarer Verrechnungssatz vereinbart werden. Also etwa: „Eine Lebensberatungsstunde kostet DM 90,- und eine Stunde Malerarbeit kostet DM 45,-" oder ähnliches. Leistung und Gegenleistung sollten unbedingt üblichen Gepflogenheiten entsprechen und schriftlich für beide festgehalten und durch Unterschrift bestätigt werden. Wer ohne nachvollziehbaren Grund anfängt, ernsthaft darüber verhandeln zu wollen, daß, wenn eine Lebensberatungsstunde DM 90,- kostet, er fürs Rasenmähen denselben Satz haben will, ist für eine solche Regelung ungeeignet.

So, das waren die Ausnahmen. Normalerweise wird die Beratung natürlich per Geld bezahlt. Mit Schwarzgeld würde ich nicht arbeiten. Zum Beispiel aus zwei Gründen: Man mag ja über den Staat denken, wie man will, aber er sorgt schlecht und recht dafür, daß wir eine recht gute Infrastruktur für unser Leben haben. Diese bezahlen wir mit Steuern und Abgaben. Es ist meiner Ansicht nach unethisch, sich dieser aus der Gemeinschaft erwachsenden Verpflichtung zu entziehen*. Wer weniger Steuern abgeben will, hat außerdem genug Möglichkeiten, dies ganz legal zu tun. Auch hier bewähren sich schnell gute Verbindungen zu den weiter

---

* Vergleiche dazu auch die Ausführungen über „Schwarzgeld" auf Seite 38

vorne erwähnten Versicherungs- und Kapitalanlagespezialisten. Zum anderen schafft der Umgang mit Schwarzgeld schnell Abhängigkeiten von den jeweiligen Klienten und ihrer Verschwiegenheit. Dies allein ist schon nicht mit einer seriösen Lebensberatungspraxis vereinbar. Viele können weiterhin die Beratungsgebühren steuerlich absetzen, wenn sie diese quittiert bekommen. Zu guter Letzt macht eine „dreifache Buchführung" genaugenommen viel mehr Arbeit als das Schwarzgeld Steuern spart.

Wie hoch ein angemessener Stundensatz für eine Beratung sein sollte, ist individuell sehr unterschiedlich. Meiner Ansicht nach können dafür hauptsächlich die folgenden Orientierungen Berücksichtigung finden:

➤ Ist die Praxis in einer Großstadt, einer Kleinstadt oder auf dem Lande. Im städtischen Umfeld wird am meisten verdient und die Lebenshaltungskosten sind dementsprechend auch höher als in ländlicher Umgebung.

➤ Wie umfangreich und kostenintensiv waren die Ausbildungen, die der Lebensberater absolviert hat? Wer viel Zeit, Geld und persönliches Engagement in seine Ausbildung gesteckt hat, wird in den meisten Fällen auch entsprechend effektiv beraten kön-

> **Je teurer die Ausbildung, umso höher der Stundensatz**

nen und damit seinen Klienten in verhältnismäßig kurzer Zeit oft sehr gut weiterhelfen können. Für mehr Leistung ist meines Erachtens auch ein höherer Stundensatz angemessen.

➤ Welche Kosten entstehen aus dem Praxisbetrieb? Wird in der Privatwohnung beraten oder wurden extra Praxisräume angemietet oder sogar gekauft? Wie ist die Ausstattung?

➤ Wie erfahren ist der Berater? Ich finde es völlig legitim, daß, wie in anderen Berufen auch, Fachkräfte mit langer Berufserfahrung besser bezahlt werden als Kollegen mit weniger Berufspraxis.

➤ Auf welche Zielgruppe ist die Beratungspraxis zugeschnitten? Es ist sicher leicht einzusehen, daß ein Berater, der vornehmlich für Privatpersonen mit Durch-
schnittseinkommen arbeitet, wesentlich
geringere Stundensätze hat, als jemand,
der fast nur Führungskräfte aus Politik
und Wirtschaft betreut. Dazu kommt
noch, daß für die letztgenannte Zielgruppe auch meist ein viel höherer
Arbeitsaufwand anfällt. Bei Privatbera-
tungen müssen Auswirkungen auf
Familie, Freunde und Kollegen berücksichtigt werden, bei Managern kann es sein, daß an das
Wohl und Wehe einer ganzen Unternehmensgruppe gedacht werden muß.

> **Bei Klienten mit viel Verantwortung trägt auch der Lebensberater mehr Verantwortung**

Wie sehen nun die unteren und die oberen Grenzen für Beratungshonorare in etwa aus? Wenn ich als untere Grenze
Beratungen von Normalverdienern in der Privatwohnung
des Beraters, der seine Ausbildung in einem Jahrestraining
bekommen hat und gerade erst seine Praxis eröffnet hat,
ansetze, liegt hier ein Stundensatz bei etwa DM 40,– bis
DM 60,–. Wenn ich als obere Grenze Beratungen von inter-
national tätigen Führungskräften in einer großzügig einge-
richteten, gut gelegenen und deswegen für nicht gerade
wenig Geld gemieteten Lebensberatungspraxis durch einen Berater, der über zehn Jahre intensive Ausbildung absolviert hat und seit mehreren Jahrzehnten erfolgreich tätig
ist, ansehe, liegt hier ein Stundensatz von DM 800,– bis zu
mehreren Tausend Mark im normalen Bereich.

Doch beides sind Grenzfälle. Heute (Stand: 1996) liegt
meiner Erfahrung nach im Schnitt im städtischen Bereich
das Honorar für eine Stunde Lebensberatung zwischen
DM 70,– bis DM 120,–. Auf dem Lande bei etwa DM 50,–
bis DM 80,–.

**kein Geld
zahlt schlecht**

- zu viele andere
  Verpflichtungen
- findet Beratung zu teuer
- arm

Keine Zeit

- will nicht
- Fremdbestimmt
- Überarbeitet
- Zu viele Hobbies

**Probleme
und Lösungen**

**Flexibilität/
Belastbarkeit**

- objektiv zu hoch
- subjektiv zu viel
- das Leben ist insgesamt
  zu anstrengend
- seelisch
- geistig
- körperlich

Zahlungsvereinbarungen

Generell würde ich Vorauszahlungen nur für eine Stunde und nur bei neuen Klienten oder Leuten, die gerne Termine ohne rechtzeitige Benachrichtigung sausen lassen, vereinbaren.

Ansonsten kann nach jeder Sitzung oder bei langfristig angelegten Beratungen einmal im Monat abgerechnet werden.

Wenn Klienten mehrmals hintereinander vergessen zu bezahlen oder mit Ausflüchten kommen, würde ich die Beratungen solange aussetzen, bis die Zahlungen auf dem Laufenden sind. Ein Lebensberater hat Anspruch auf die pünktliche Bezahlung seiner Leistung und darauf, daß seine Klienten ihm und seiner Praxis keinen Schaden zufügen. Werden diese simplen und unbedingt notwendigen Regeln verletzt, sollte die Arbeitsbeziehung seitens des Beraters umgehend beendet werden.

> **Der Lebensberater hat einen Anspruch auf die Bezahlung seiner Leistung**

Was tun, wenn offensichtlich Beratungsbedarf besteht und weder Arbeitszeit noch ausreichend Geld zur Bezahlung von Lebensberatungen zur Verfügung steht?

Ich finde es sehr wichtig, Menschen, die Hilfe suchen, auch unter diesen Voraussetzungen nicht einfach abzuschieben. Wenn ansonsten mit der Praxis gutes Geld verdient wird, muß auch mal etwas Zeit für eine Kurzberatung sein, um zum Beispiel einer alleinerziehenden Mutter mehrerer Kinder, die von der Sozialhilfe lebt, weiterzuhelfen. Folgendes kann und sollte der Berater in einem solchen Fall tun:

> ➢ Die grundsätzliche Problematik herausarbeiten und „Erste-Hilfe" geben, also Mut machen und Hoffnung wecken.
> ➢ Adressen von Institutionen weitergeben, die Beratungen und andere Hilfen kostenfrei oder zu sehr geringen Gebühren zur Verfügung stellen. Das können Selbsthilfegruppen sein, die Telefonseelsorge, Pro Familia, das Deutsche Rote Kreuz oder auch Therapiegruppen, die

an vielen Universitäten und Medizinischen Hochschulen angeboten werden. Es gibt zum Beispiel den Bruno-Gröning-Freundeskreis, der Geistheilungssitzungen in Form von Selbsthilfegruppen anbietet und vieles mehr. Auch hier ist eine gut gepflegte Datenbank und ein hoher Vernetzungsgrad eine wunderbare Hilfe, um helfen zu können.

➤ Würde ich anbieten, wenn es nötig werden sollte und noch keine passende Anlaufstelle gefunden worden ist, telefonisch zu den üblichen Sprechzeiten zu beraten.

Es bringt generell nichts, langfristige Beratungen ohne Bezahlung oder eine andere angemessene Gegenleistung zu geben. Manchmal mag es seltene Ausnahmen geben, in denen es gerechtfertigt ist, doch gratis tätig zu werden, aber ich würde es mir sehr genau überlegen, bevor ich es tue. Wir haben insgesamt ein sehr gutes soziales Netz mit vielfältigen, im Schnitt recht guten Beratungsangeboten, die für Menschen in wirtschaftlichen Notsituationen vorgesehen sind. Der Staat oder andere gemeinnützige Träger finanzieren diese Hilfen. Ein freiberuflich tätiger Lebensberater hat niemanden im Rücken, der für seine Kosten aufkommt, wenn er arbeitet, ohne bezahlt zu werden. Es entstehen schnell Überlastungen und vermeidbarer Frust, wenn ein freier Berater in größerem Umfang Aufgaben zu übernehmen versucht, für die andere Stellen besser geeignet sind.

> **Ein freiberuflich tätiger Berater muß Geld verdienen – sonst kann er niemandem helfen**

Die Frage der seelischen Verdauungskraft

Jeder Mensch hat eine bestimmte Kapazität, echte Änderungen in seiner inneren und äußeren Lebensstruktur zu verkraften. Bei Menschen, die zu Lebensberatungen kommen, ist diese Fähigkeit in manchen Fällen schon weitgehend ausgelastet. Es wäre unter solchen Umständen kaum

sehr sinnvoll, ihnen gleich noch mehr Veränderungen auf-
zubürden, die zwar wohlgemeint und ansonsten richtig ab-
gestimmt sind, sie aber schlichtweg überfordern. Hier ist
es erforderlich, zuerst die Kräfte wieder zu regenerieren.
Dazu kann der Berater entsprechende Entspannungssitzun-
gen und Energiearbeit anbieten, und er
kann den Besuch bei einem Mediziner
empfehlen, der durch eine Untersuchung die Gründe für die mangelnde Belastbarkeit abklärt und gegebenenfalls
eine Vitamin-B12-Kur, eine Ernäh-
rungsumstellung, eine Sauerstoffthera-
pie, passende homöopathische Mittel
oder ähnliches verordnet. Manchmal müssen auch erst chronische Entzündungen, Lebererkrankungen oder Verdau-
ungsschwächen auskuriert werden, damit der Organismus
sich wieder wirklich erholen kann. Erst wenn der behan-
delnde Mediziner „grünes Licht" gibt, kann und darf der
Lebensberater beginnen, mit seinem Klienten an grundsätz-
licheren Problemen zu arbeiten.

> **Sicherheithalber
> medizinische
> Faktoren durch
> einen Fachmann
> abklären lassen**

Allgemeine Kriterien für die Häufigkeit der Lebensberatungssitzungen

Klienten, die den Eindruck machen, daß sie zu ängstlich
darüber sind, sich zu rasch offenbaren, sollten etwa ein Mal
pro Woche kommen. Gleichfalls Klienten, die sich noch nicht
ganz darüber im Klaren sind, was sie eigentlich wollen. Diese
sollten ersteinmal herausfinden, ob sie mit den Lebensberatungen zurechtkommen, bevor sie sich längerfristig festlegen.

Bei Klienten mit komplexen Schwierigkeiten, starkem Widerstand gegenüber der Entwicklung ihrer Persönlichkeit oder
so starkem Leidensdruck, daß viel Unterstützung nötig ist,
sollten etwa zwei Termine pro Woche vereinbart werden.

Klienten, die viel ausagieren, die in ihrem Kontakt zu
Freunden, zur Familie oder bei der Arbeit immer wieder die

gleichen heftigen Krisen heraufbeschwören, brauchen unter Umständen auch häufigere Gespräche. Eine Stunde pro Woche würde sonst nur für Erste-Hilfe-Maßnahmen reichen. Dementsprechend wäre nicht ausreichend Zeit zur Harmonisierung der Strukturen, auf deren Grundlage die Konflikte immer von neuem entstehen.

Es ist wichtig, sich die Meinung des Klienten zu den auf diesen Grundlagen erarbeiteten Vorschlägen aufmerksam anzuhören und realistische Probleme, die der Terminierung seinerseits entgegenstehen, anzuerkennen. Gleichfalls sollten aber auch bewußte und unbewußte Widerstände im Zusammenhang mit der Verpflichtung zu den Lebensberatungsstunden nicht übersehen werden*. In den meisten Fällen können derartige Probleme beigelegt werden, wenn die Aufmerksamkeit des Klienten auf seine Widerstände und die Konsequenzen dieser Haltung gelenkt wird. Ist der Klient jedoch nicht bereit, sich konstruktiv mit seiner Abwehrhaltung auseinanderzusetzen, würde ich ihm noch eine Denkpause von ein oder zwei Wochen, eventuell im Zusammenhang mit einigen zur Aufweichung der Abwehr geeigneten Hausaufgaben, geben. Hat sich dann nichts Grundlegendes geändert, würde ich die Fortsetzung der Beratungen ablehnen, bis sich die Einstellung grundlegend geändert hat.

> **In so einem Fall zu Sicherheit einen Psychotherapeuten einschalten, um abklären zu lassen, ob eine ernste seelische Störung vorliegt**

---

* Vergleiche dazu auch das Kapitel „Umgang mit Widerständen und Sabotageprogrammen"

Wer trägt die Verantwortung für den Erfolg der Lebensberatung?

Klient und Lebensberater tragen meiner Ansicht nach zu jeweils 50 Prozent die Verantwortung für das Gelingen der Beratungen. Will der Klient das seinige nicht dazugeben, erübrigt sich die Tätigkeit des Beraters. Das erste und wichtigste, was ein Klient für die Lösung seiner Probleme beitragen kann, ist die Zeit, die er in die Lösungstätigkeit, also die Beratungssitzungen und Hausaufgaben, investiert. Ich halte nichts von Beratungsmodellen, die allein dem Berater die Verantwortung für den Erfolg des Vorhabens zuschieben. Diese Art der Beziehung ist nicht gleichwertig und würde deshalb keinen Erwachsenen hervorbringen, sondern einen in seiner abhängigen Kindrolle bestätigten Menschen.

Doch wofür genau trägt der Berater die Verantwortung und wofür der Klient?

➤ Der Berater übernimmt die Verpflichtung
   – seinem Klienten individuell passende Wachstumsanregungen zu geben
   – innerhalb der Sitzungen einen geschützten Rahmen zur Selbsterfahrung und dem Ausprobieren neuen Verhaltens zu bieten
   – wichtige Informationen zur Verfügung zu stellen und dem Klienten Verbindungen zu vermitteln, die ihm bei der Bewältigung seiner Probleme hilfreich sein können
   – ausreichend Zeit für die Beratung des Klienten freizuhalten
   – dem Klienten keinen Schaden zuzufügen
   – Verschwiegenheit über die Angelegenheiten des Klienten Außenstehenden gegenüber zu bewahren
   – dem Klienten gegenüber aufrichtig zu sein

Die generelle Zielrichtung für den Wachstumsprozeß wird als Förderung von Eigenverantwortung, Bewußtseinsentwicklung und Entfaltung der Liebesfähigkeit (in diesem Fall verstanden als: ausgeglichenes Gefühlsleben, Beziehungsfähigkeit, Anteilnahme, Toleranz, Verbundenheit mit anderen Wesen und einem übergeordneten Lebenssinn) vereinbart. Die individuellen Ziele und Teilziele werden gemeinsam mit dem Klienten festgelegt und innerhalb des Beratungsprozesses immer wieder auf ihre Richtigkeit* hin überprüft und wenn es erforderlich ist, entsprechend angepaßt. Es ist völlig normal, wenn sich im Laufe einer Beratung für den Klienten vollkommen andere Ziele ergeben.

➢ Der Klient übernimmt die Verantwortung dafür
   - sich Gedanken zu machen über die Wachstumsanregungen und die Übungen, die in den Sitzungen gegeben werden und auf seine diesbezüglichen Gefühle zu achten
   - die neuen Lebenseinstellungen und Übungen ausführlich auszuprobieren und dem Berater die Erfahrungen damit mitzuteilen, um eine angemessene Grundlage für die Beratung zu verschaffen
   - dem Berater durch Aufrichtigkeit bei der Beratung zu helfen
   - das vereinbarte Beratungshonorar pünktlich zu bezahlen
   - dem Berater und seiner Praxis keinen Schaden zuzufügen

---

* Vergleiche dazu das Kapitel „Systematische Problemanalyse und Wohlgeformte Zielbestimmung"

Klient
- Kommt zu Sitzungen
- Anregungen und
  Übungen ausprobieren
- Beratung keinen
  Schaden zufügen
- Honorar pünktlich
  bezahlen
- Aufrichtigkeit
- Nachdenken über
  Anregungen

Berater
- hält Zeit frei
- ist aufrichtig
- fügt Klient keinen
  Schaden zu
- stellt Informationen
  zur Verfügung
- bietet einen geschützten
  Rahmen während der
  Beratung
- gibt individuell passende
  Wachstumsanregungen
- ist verschwiegen über
  Angelegenheiten
  des Klienten

Aufgabenteilung
zwischen Berater
und Klient

Kapitel VII

Die drei ersten Sitzungen

Bei langfristig angelegten Beratungen gibt es eine Einstiegsstrategie, die sich schon oft bewährt hat. Werden die ersten drei Sitzungen entsprechend gestaltet, wird die weitere Beratung meist wesentlich vereinfacht und verbessert.

Die erste Sitzung

➤ Informationen sammeln: Um einen Menschen gut beraten zu können, muß sich der Berater auf ihn einlassen. Er muß einiges über den Alltag, die Lebenseinstellung und die Lebensgeschichte seines Klienten erfahren und sich im Verlaufe dieses Interviews seinem Gegenüber gefühlsmäßig annähern.

➤ Die Motivation für die Lebensberatung klären: Sehr wichtig ist es, gleich in der ersten Sitzung die Motive abzuklären, die den Klienten in die Beratungspraxis gebracht haben.

Die folgende grobe Einteilung der Motive kann dabei eine Hilfe sein:

– Der Klient kommt, weil sein Partner, ein Freund, Verwandter, Kollege oder Ausbilder der Ansicht ist, er sollte „was für sich tun". Der Erfolg der Beratung ist unter diesen Voraussetzungen mehr als zweifelhaft. Ich empfehle hier, wiederzukommen, wenn aufgrund der persönlichen Überzeugung eine Beratung als wünschenswert angesehen wird. Ansonsten lohnt es sich höchstens noch, die Beziehung zu dem Menschen etwas genauer zu beleuchten, auf dessen Druck der Klient den Beratungstermin vereinbart hat. Manchmal kommt dann eine echte Motivation zum Vorschein und die Arbeit kann beginnen. Geschieht dies nicht, würde ich die kostbare Zeit von zwei Menschen nicht weiter vergeuden.

– Die Beratung wird gebucht, weil ein konkretes, fest umrissenes Problem so viel Sorgen macht, daß eine Harmonisierung der Situation als unbedingt notwendig angesehen wird. In diesem Fall sollte der Berater zuerst feststellen, ob wirklich akuter Handlungsbedarf besteht oder ob die Situation „nur" subjektiv so bedrohlich erscheint. Dann ist es wichtig, abzuklären, ob hinter dem offensichtlichen Problem andere Disharmonien stecken, die es zu bearbeiten gilt.

– Es besteht eine diffuse Unzufriedenheit, die in letzter Zeit so stark geworden ist, daß sie weite Bereiche des Lebens überschattet. Der Klient will nun endlich wissen, was eigentlich mit ihm los ist und wie er wieder zufriedener werden kann. Hier ist eine umfassende Bestandsaufnahme des Lebens des Klienten (Lebensstrukturanalyse) notwendig, damit nichts Wichtiges übersehen wird. Auch sollten schon zu Beginn Konsultationen bei einem Psychotherapeuten und bei einem ganzheitlich arbeitenden Mediziner angestrebt werden, um eventuell verborgene Erkrankungen abklären zu lassen.

– Der Klient kommt, weil er jemand anders in seinem persönlichen Umfeld, der seiner Ansicht nach Schwierigkeiten hat, ändern will. Er selbst hat natürlich keine Probleme. Hier kommt nur in Betracht, das Bewußtsein des Klienten für seine eigene Problematik, die er verdeckt auszuleben sucht, zu wecken. Gelingt dies nicht, würde ich die Zusammenarbeit abbrechen. Ein Lebensberater kann guten Gewissens nur mit Anwesenden arbeiten, die selbst den Wunsch zum

Klienten, die jemanden anderen ändern wollen, sollten auf ihre eigene Problematik aufmerksam gemacht werden

Lernen und Wachsen haben. Verdeckte Beratungen über Dritte sind meiner Ansicht nach sehr dubios.

➤ Eine herzliche Beziehung aufbauen: Wie schon unter „Informationen sammeln" angesprochen, ist es unbedingt notwendig, daß Berater und Klient einander im Verlaufe der Sitzungen näher kommen. Der Klient muß die Gelegenheit haben, persönliches und fachliches Vertrauen zu dem Berater aufzubauen, und der Berater sollte sich bemühen, sein Herz für den anderen zu öffnen. Natürlich kann dieser Prozeß nicht in einer Sitzung ablaufen. So etwas dauert. Je länger die Beratungen unter diesem Gesichtspunkt fortgeführt

> **Berater und Klient müssen Vertrauen zueinander aufbauen**

werden, desto tiefer kann die Arbeit wirken. In kurzen Beratungen können deswegen Probleme fast immer nur oberflächlich aufgearbeitet werden.

Die folgende Übung kann dem Lebensberater helfen, eine Herzensbrücke zu seinem Klienten zu bauen:

– *Schritt 1:* Was mag ich an meinem Gegenüber?
– *Schritt 2:* Was stößt mich an meinem Gegenüber ab?
– *Schritt 3:* Verständnis für abstoßendes Verhalten oder Aussehen entwickeln. Das geht so: Welche guten Gründe kann es wohl für die Entstehung dieser Verhaltensweisen und des Aussehens geben? Wie würde ich mich fühlen, wenn ich so wäre und mich so verhalten würde? Gibt es Verhaltensweisen oder Äußerlichkeiten an mir, die ich eigentlich nicht mag, wegen deren ich mich schäme, aber sie trotzdem nicht ändere oder nicht ändern kann? Was würde sich in mir ändern, wenn mich jemand, trotzdem er dies über mich weiß, liebevoll annehmen würde und sich um Verständnis für mich bemühen würde?

Dieser Schritt ist für den Berater eine Aufforderung und Gelegenheit, die Entwicklung seiner Liebesfähigkeit zu fördern. Trotzdem ist es völlig in Ordnung, wenn ein Berater seinen Klienten grundsätzlich nicht annehmen kann. Ich würde aber aus Gründen der Fairneß in so einem Fall den Klienten an einen Kollegen verweisen. Eine Lebensberatung wird nicht erfolgreich verlaufen, vielleicht sogar Schaden anrichten, wenn der Berater den Klienten zutiefst ablehnt und trotzdem versucht mit ihm zu arbeiten.

– *Schritt 4:* An wen erinnert mich der Klient? Welche Gefühle hatte ich gegenüber der Person, an die mich der Klient erinnert? Sich darüber klar werden, das der Klient ein vollkommen anderer Mensch

| Projektionen erkennen |

ist, der zufällig einige Äußerlichkeiten mit einer anderen Person gemeinsam hat. Sich überlegen, ob es der eigenen Lebenserfahrung wirklich entspricht, daß Menschen, die auf einer oberflächlichen Ebene Gemeinsamkeiten haben, tatsächlich die gleiche Art zu denken und zu handeln haben, oder es Erfahrungen gibt, die dem widersprechen.

– *Schritt 5:* Die Aufmerksamkeit bewußt überwiegend bei den positiven Seiten des Gegenübers halten, um eine gute Arbeitsstimmung zu fördern. Die negativen Seiten nur in den Brennpunkt der Aufmerksamkeit bringen, wenn die Arbeit es erforderlich macht.

– *Schritt 6:* Die negativen Seiten nach jeder Sitzung aufschreiben und wie in Schritt 3 beschrieben bearbeiten. Diese Vorgehensweise mag sehr mechanisch wirken, sie hat sich aber bisher sehr gut bewährt. Je öfter und gründlicher die Strategie angewendet wird, desto schneller wird sie zu einer Gewohnheit, und es macht bald richtig Spaß, auch auf den ersten Blick schwierige Klienten „systematisch" ins Herz zu schließen.

➤ Den Ablauf der Beratungen erklären: Es ist wichtig, daß der Klient, bevor die Beratung richtig losgeht, über die in der Praxis eingesetzten Methoden grundsätzlich informiert wird und weiß, welche Hilfen ihm im Rahmen der Lebensberatung geboten werden können und was nicht angeboten wird. Natürlich muß auch die Kostenseite besprochen werden.

➤ Erste Hilfen für dringlichste Probleme geben: Wenn es zur Zeit für den Klienten so drückende Probleme gibt, daß eine grundsätzliche Beratung dadurch behindert wird, müssen die heißen Eisen zuerst abgekühlt werden. Dabei sollte der Lebensberater immer bedenken, daß medizinische Notfälle nicht in seinen Kompetenzbereich gehören, wenn er nicht die nötige Ausbildung als Arzt besitzt, und auch ansonsten zur Bewältigung von Schwierigkeiten, die besondere Fachkenntnisse erfordern, unbedingt Spezialisten hinzugezogen werden sollten.

➤ Hausaufgaben: Um die nächste Sitzung vorzubereiten, sollte der Klient sich noch einmal ausführlich Gedanken über seine konkreten Ziele machen, überlegen, was genau ihn bisher daran gehindert hat, diese zu verwirklichen und feststellen, wieviel Zeit ihm zur Bearbeitung der Problematik außerhalb der Beratungen zur Verfügung steht, ohne daß er andere wichtige Angelegenheiten vernachlässigen muß. Zu allen Punkten sollte er sich schriftliche Notizen anfertigen und diese zum nächsten Termin mitbringen.

> **Um die Beratung wirkungsvoll zu unterstützen, sollte der Klient sich zuhause noch einmal ausführlich die Sitzungen durch den Kopf gehen lassen**

Da es in der ersten Sitzung viel zu tun gibt, sollte hier deutlich mehr Zeit als für die Folgetermine eingeplant werden. Meiner Erfahrung nach sind 90 bis 120 Minuten realistisch.

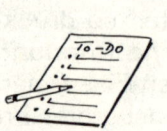

herzliche Beziehung aufbauen

- Freunde werden
- persönliches und fachliches Vertrauen schaffen
- „positive" Seiten des Klienten
- „negative" Seiten des Klienten

Hausaufgaben geben

- wieviel Zeit
- Ziele konkret

Motivation für Beratung klären

- Klient will lernen, andere Person zu ändern
- diffuse Unzufriedenheit
- konkretes Problem
- Klient ist fremdmotiviert

Die erste Sitzung

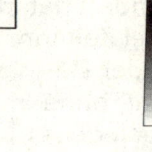

Erste-Hilfe geben

- Kraftquellen
- Entspannung
- Hoffnung

Informationen sammeln

- Lebenseinstellungen
- Hobbies
- Beruf
- Privatleben

Ablauf der Beratung erklären

Die zweite Sitzung

➢ Ziele und Teilziele festlegen: Jetzt ist es an der Zeit, mit
Hilfe der, hoffentlich sorgsam gemachten Hausaufgaben,
aus den vielleicht noch unbestimm-
ten Wünschen des Klienten Ziele zu
machen. Sind schon konkrete Ziele
vorhanden, können diese nach einer
eingehenden Überprüfung in Teilziele unterteilt und dann mittels der Systematischen Problemanalyse und
der Wohlgeformten Zielbestimmung bearbeitet werden.

> **Vorhandene Ziele können in Teilziele unterteilt werden**

➢ Die wichtigsten zweitrangigen Problemfelder klären: Wo
gibt es außerhalb des direkten Problembereichs größere Quellen der Unzufriedenheit im Leben des Klienten?
Sind bei näherer Untersuchung verborgene Zusammenhänge zu dem Hauptproblemfeld zu erkennen?

➢ Hausaufgaben: Der Klient sollte zu Hause noch einmal
gründlich darüber nachdenken, wo eventuell weitere größere Problemfelder außerhalb des von ihm gewählten
Beratungsthemas in seinem Leben sind. Was macht ihm
oft Sorgen? Wem gegenüber empfindet er Haß oder kann
nicht vergeben? Wo ist er sehr neidisch oder gierig und
bekommt nicht, was er will? Sind seine Bedürfnisse nach
Erfolg, seelischen und körperlichen Streicheleinheiten
und nach Lebenssinn im großen und ganzen erfüllt?

Hausaufgaben
• Problemfelder finden
• Kraftquellen finden

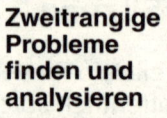

Zweitrangige Probleme finden und analysieren

Die zweite Sitzung

herzliche Beziehung aufbauen
• Gier
• Neid
• Unzufriedenheit
• Haß
• Sorgen
• problematische Beziehung
• zweitrangige Probleme
• Glück

Ziele und Teilziele festlegen
• Hindernisse
• Ziel insgesamt sinnvoll?
• Kraftquellen
• wirkliche Bedürfnisse?

1.ZIEL 2.ZIEL 3.ZIEL

Die dritte Sitzung

➤ Die Wohlgeformte Zielbestimmung und die Systematische Problemanalyse zu Ende bringen.
➤ Anhand der Hausaufgaben die Bestandsaufnahme der zweitrangigen Problemfelder vervollständigen und dann nach den verdeckten Verbindungen zu dem Hauptproblem suchen.
➤ Kraftquellen finden und dem Klienten bei ihrer verstärkten Nutzung helfen. Zur Bearbeitung größerer Schwierigkeiten wird viel Kraft gebraucht. Bevor die direkte Arbeit an den Problemen beginnt, sollten deswegen möglichst viele Quellen von Freude, Zufriedenheit, Entspannung, Glück, Lust und Selbstbestätigung erfaßt und mit dem Klienten daran gearbeitet werden, wie er diese Potentiale besser nutzen kann, um sich zu erholen und genug Kraft für die Bewältigung der anstehenden Herausforderungen zu haben
➤ Hausaufgaben: Hier geht es nun darum, möglichst noch weitere Kraftquellen zu entdecken und ihre verstärkte Nutzung praktisch zu erproben.

Generell gilt: Es sollte von Anfang an so viel Arbeit wie möglich in die Hausaufgaben verlegt werden. Zum einen, damit die Finanzen des Klienten geschont werden. Denn warum soll in teuren Beratungsstunden etwas erarbeitet werden, was genauso gut kostenfrei zu Hause erledigt werden kann? Zum anderen wird so die Selbständigkeit des Klienten gefördert. Und allein das ist schon unglaublich viel wert, wenn es darum geht, die Lebensqualität nachhaltig zu erhöhen. Versucht der Berater dem Klienten Angelegenheiten abzunehmen, die dieser auch allein bewältigen könnte, wenn er sich anstrengen würde, fördert er eher die Entstehung von Abhängigkeitsstrukturen, behindert die Bewältigung der

> **Hausaufgaben schonen den Geldbeutel des Klienten und fördern seine Selbständigkeit**

Schwierigkeiten und unterstützt Minderwertigkeitsgefühle des Klienten.

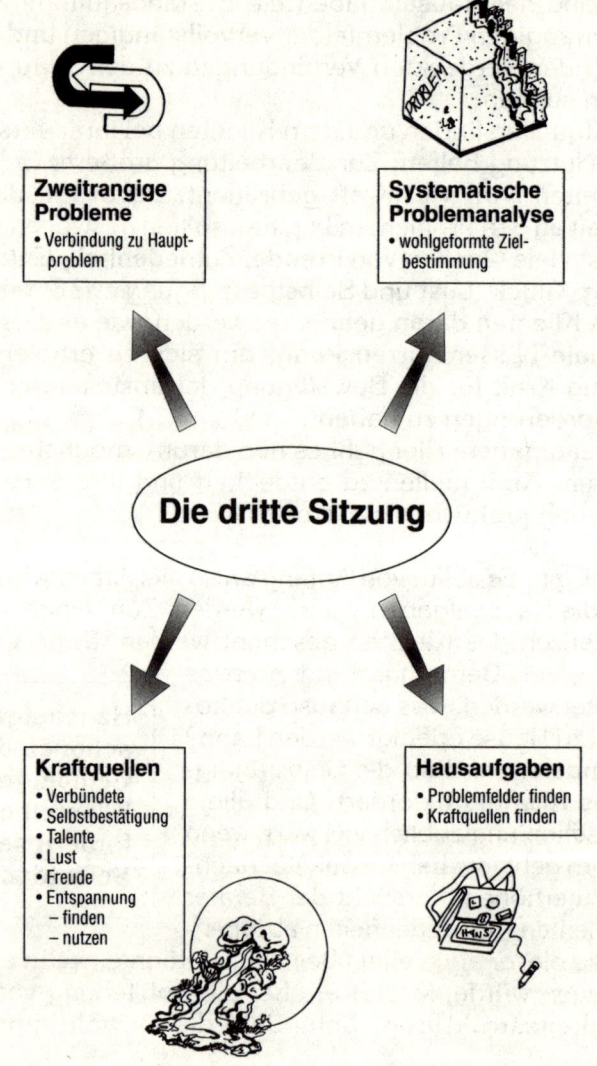

Problemfelder und Kraftquellen erfassen

Bei längeren Beratungen und komplexen Problemen sollten die Problemfelder und die Kraftquellen des Klienten
systematisch erfaßt werden, damit nicht ins Blaue hinein
beraten wird. Dazu kann das hier angeführte Schema verwendet werden. Dabei sollte für jede belastende Situation
von dem Klienten eine subjektive Wertung vorgenommen
werden. Wo ordnet der Klient In einer Skala von 1 bis 10
den Grad der Belastung ein? 1 bedeutet hier: Wird kaum
als Belastung empfunden. 10 bedeutet: Diese Situation
erzeugt einen Leidensdruck, den sich der Klient schlim-
mer nicht vorstellen kann. Gleichfalls ist es sinnvoll, jede
als aufbauend und freudvoll empfundene Situation in einer ähnlichen Skala einzuordnen. 1 bedeutet in diesem
Zusammenhang: Die Situation wird beinahe neutral wahrgenommen. Es ist nur eine geringe positive Wirkung festzustellen. 10 bedeutet: Hier wird soviel Freude empfunden,
daß eine Steigerung nicht mehr vorstellbar ist.

Partnerschaft
Welche Situationen gibt es in diesem Bereich, die als sehr
belastend empfunden werden?
Welche Situationen gibt es in diesem Bereich, die als sehr
aufbauend empfunden werden?

Familie
Welche Situationen gibt es in diesem Bereich, die als sehr
belastend empfunden werden?
Welche Situationen gibt es in diesem Bereich, die als sehr
aufbauend empfunden werden?

Freundeskreis
Welche Situationen gibt es in diesem Bereich, die als sehr
belastend empfunden werden?

Welche Situationen gibt es in diesem Bereich, die als sehr aufbauend empfunden werden?

Arbeitskollegen
Welche Situationen gibt es in diesem Bereich, die als sehr belastend empfunden werden?
Welche Situationen gibt es in diesem Bereich, die als sehr aufbauend empfunden werden?

Sonstiges
Welche Situationen gibt es in diesem Bereich, die als sehr belastend empfunden werden?
Welche Situationen gibt es in diesem Bereich, die als sehr aufbauend empfunden werden?

Gibt es Personen, für die nichts Besonderes empfunden wird und mit denen trotzdem viel Kontakt besteht? Und warum?
Welche wirtschaftlichen Abhängigkeiten bestehen?
Anhand der mit diesem Schema gewonnenen Informationen können jetzt die einzelnen Bereiche von Disharmonie in der Reihenfolge ihres Schwierigkeitsgrades bearbeitet werden. Es empfiehlt sich, mit den einfachsten Problemen zu beginnen, um in einem relativ einfachen Umfeld erste Erfahrungen sammeln zu können, bevor die „Dicken Brocken" drankommen. Gleichzeitig können die Kraftquellen besser genutzt werden.

Kapitel VIII

Angemessenheit bei der Bearbeitung von Problemen

Es gibt bei der Lebensberatung Probleme mit unterschiedlichem objektiven Stellenwert. Einige Klienten empfinden bestimmte Schwierigkeiten in ihrem Leben subjektiv als sehr wichtig, die objektiv gar nicht so bedrohlich sind, während andere Disharmonien subjektiv als kaum bedeutsam eingeschätzt werden, die aber objektiv betrachtet, dringend bearbeitet werden sollten. Eine wesentliche Aufgabe des Lebensberaters besteht in solchen Fällen darin, seinem Klienten dabei zu helfen, seine verschiedene Probleme wieder realistisch einschätzen zu lernen. Allein dadurch wurde schon so manches verfahrene Leben wieder in konstruktive Bahnen gelenkt. Es hilft in diesem Zusammenhang wenig, den Wertmaßstab des Klienten einfach ungeprüft zu übernehmen. Denn wenn der Klient mit seinem Leben gut zurechtkommen würde, käme er nicht in die Beratung. Wenn er mit seinem Leben nicht zurechtkommt, muß es dafür in ihm Gründe geben.

Eine wesentliche Ursache für langfristig mangelnde Lebensqualität ist es, wenn mit aller Kraft an der Bewältigung von Miniproblemen gearbeitet wird, die von anderen, größeren Schwierigkeiten immer wieder aufs neue gebildet werden. Diese tieferliegenden Disharmonien werden aber von dem Betreffenden als nicht so wichtig betrachtet, bleiben deswegen weiter bestehen und können weiter Unheil stiften. Ein Beispiel dazu: Ein Klient möchte in einer Lebensberatung daran arbeiten, daß er besser Gitarre spielen kann. Seine Arme und Hände seien so verspannt, daß er die zu virtuosem Gitarrenspiel erforderliche Beweglichkeit nicht entwickeln können, obwohl er täglich mehrere Stunden übe. Bei der näheren Untersuchung seiner Lebenssituation stellt sich heraus, daß er seit Jahren arbeitslos ist, nicht in der Lage ist, eine dauerhafte und glückliche Partnerschaft einzugehen und ständig Kopfschmerzen hat, die er aber nicht behandeln läßt, weil er

> **Das Offensichtliche ist nicht immer das, worum es eigentlich geht**

„keine Pillen schlucken" möchte. Wenn der Lebensberater jetzt einfach nur mit zum Beispiel Reiki oder Shiatsu an der Lockerung der Armmuskulatur arbeiten würde, hätte er einen großen Fehler gemacht. Hier ist es zuerst notwendig, dem Klienten den Zusammenhang seiner Muskelverspannungen mit seinem zutiefst problembeladenen Leben bewußt zu machen. Dann müssen Schwellenängste abgebaut werden, damit er einen ganzheitlich arbeitenden Mediziner aufsucht, damit festgestellt wird, wodurch seine Kopfschmerzen verursacht werden, und schließlich sollte an einer Wiedereingliederung in das Arbeitsleben und der Herstellung von Beziehungsfähigkeit gearbeitet werden. Natürlich ist bei so einer verfahrenen Situation viel Fingerspitzengefühl und Geduld seitens des Beraters nötig und wahrscheinlich ist auch die Einschaltung eines Psychotherapeuten erforderlich. Aber wenn der Berater es schafft, das für die Zusammenarbeit nötige fachliche und persönliche Vertrauen in ihn bei seinem Klienten aufzubauen, kann ein Mensch wieder lernen, glücklich zu leben. Das ist es wert, sich anzustrengen.

Wie lassen sich objektiv die Problemfelder im einzelnen gewichten?

Ich unterscheide die folgenden Bereiche:

➤ *Wurzelthemen* (hier geht es unter anderem um die grundsätzliche Belastbarkeit von Körper, Geist und Seele, die sogenannte Erdung, die Verwurzelung in der Realität, das Verhältnis zur Wirklichkeit und die Quellen von Kraft und Lebensfreude):
– lebensbedrohende Erkrankungen
– ernsthafte seelische Störungen
– zu wenig oder gar keine Zeit und Kraft für unbedingt notwendige Lernprozesse und Änderungen der Lebensweise
– zu wenig Geld für wichtige und notwendige Vorhaben

➤ *Stammthemen* (hier geht es unter anderem um zwischenmenschliche Beziehungen, die Fähigkeit, „ja" und „nein" sagen zu können, das Verdauen von Belastungen aller Art und damit die Stabilität des Nervenkostüms):
– Klärung von Beziehungen
– Entwicklung und Pflege von Selbstbewußtsein und Selbstwertgefühl
– Entwicklung von Abgrenzungsfähigkeit
– Entwicklung des logischen Denkens
– Entwicklung von Hingabe und Liebesfähigkeit, Toleranz und Respekt
– Vertiefung und Verbreiterung der Gefühle

➤ *Kronenthemen* (hier geht es um die Entfaltung der individuellen Talente, den Sinn des Lebens und den Dienst am Ganzen unter Berücksichtigung der eigenen, wahren Bedürfnisse):
– spirituelle Entwicklung
– Entwicklung künstlerischer Talente
– Verbesserung der Kommunikationsfähigkeit
– ästhetische Vorhaben als Selbstzweck
– bildungsmäßige Vorhaben als Selbstzweck
– sonstige Vorhaben mit Luxuscharakter

Die Auflistung ist selbstverständlich beileibe nicht vollständig. Mir geht es hier nur darum, das Prinzip zu verdeutlichen.

Mit ein bißchen Mühe wird jeder Lebensberater es für seine Arbeit anpassen und erweitern können.

Die Wurzelthemen sind am wichtigsten, die Stammthemen folgen diesen und die Kronenthemen sind zwar interessant und für die Reifung einer Persönlichkeit auch sehr wertvoll – sie sollten aber ausführlich nur im Zusammenhang mit Wurzel- oder Stammthemen bearbeitet werden oder allein, wenn Wurzel und Stamm gesund und kräftig sind.

Ich habe die Bezeichnungen „Wurzel", „Stamm" und „Krone" verwendet, weil sie an die entsprechenden Teile eines Baumes erinnern. Es ist leicht einzusehen, daß ein Baum entwurzelt wird oder verhungert, wenn seine Wurzeln nicht im Verhältnis zu seinem Stamm und seiner Krone kräftig ausgeprägt und gesund sind. Ein schwacher Stamm kann eine große, mit vielen Früchten, Ästen und Blättern beladene Krone weder mit ausreichender Nahrung versorgen noch ihr Sicherheit geben, wenn es stürmt. Er wird in einem Sturm brechen. Die Krone empfängt das belebende Sonnenlicht und trägt über die Früchte zur Verbreitung der Art in der Umgebung bei. Sie nährt damit und mit dem abgegebenen Sauerstoff auch die anderen Wesen in ihrer Nähe.

Alle drei Teile des „Baumes" müssen in einem gut aufeinander abgestimmten Verhältnis wachsen

Alle drei Teile des menschlichen Wesens sollten in gut aufeinander abgestimmten Verhältnis wachsen, dann stellen sich Gesundheit und Glück praktisch von selbst ein.

Wer sich in der esoterischen Chakrenlehre auskennt, kann folgende Zuordnungen in seiner Arbeit verwenden: Das erste und das zweite Hauptchakra bilden die Wurzel; das dritte und das vierte Hauptchakra entsprechen dem Stamm und das fünfte und das sechste Hauptchakra stellen die Krone dar.

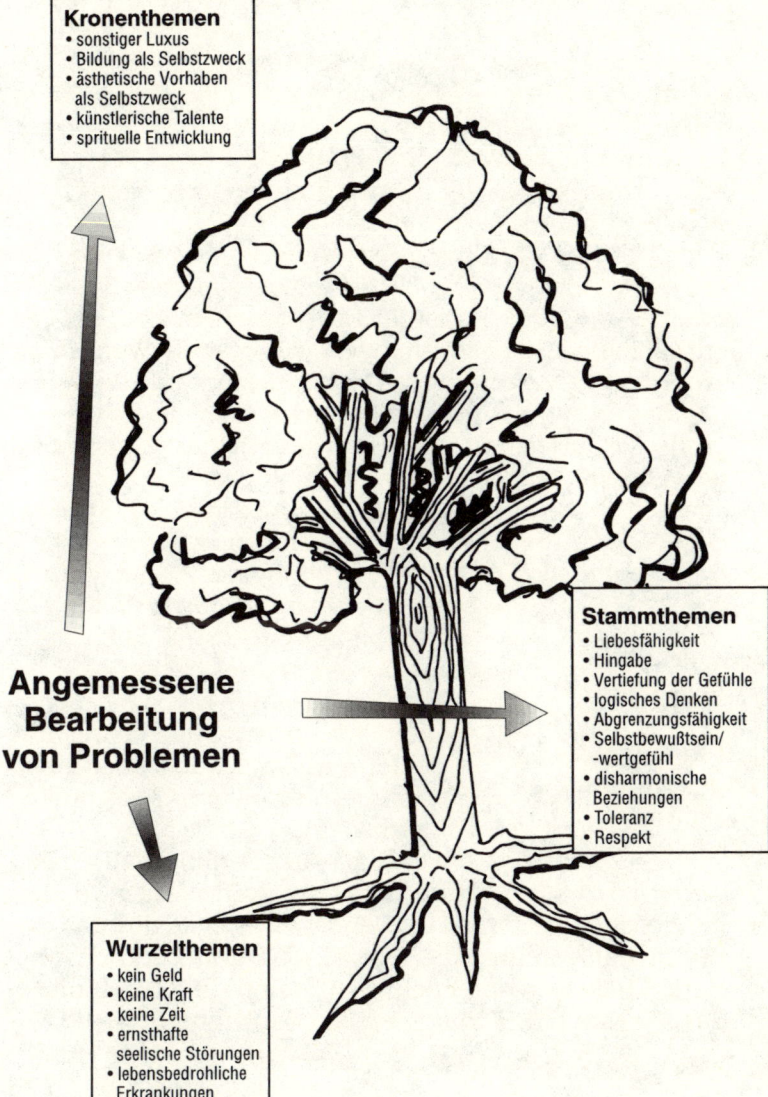

Kronenthemen
• sonstiger Luxus
• Bildung als Selbstzweck
• ästhetische Vorhaben
  als Selbstzweck
• künstlerische Talente
• sprituelle Entwicklung

Stammthemen
• Liebesfähigkeit
• Hingabe
• Vertiefung der Gefühle
• logisches Denken
• Abgrenzungsfähigkeit
• Selbstbewußtsein/
  -wertgefühl
• disharmonische
  Beziehungen
• Toleranz
• Respekt

**Angemessene
Bearbeitung
von Problemen**

Wurzelthemen
• kein Geld
• keine Kraft
• keine Zeit
• ernsthafte
  seelische Störungen
• lebensbedrohliche
  Erkrankungen

Häufig auftretende Probleme in der Beziehung Klient – Lebensberater und wie sie gelöst werden können

Zu-spät-Kommen

Es kann jedem ab und zu passieren, zu spät zu kommen. Wird bei einem Klienten dieses Verhalten aber zur Regel, muß der Berater achtgeben, richtig zu reagieren. Wird er selbst ärgerlich darüber und reagiert vielleicht seine Aggression direkt oder indirekt an seinem Klienten ab, ist der Beratungserfolg mitunter ernstlich gefährdet. Gereiztheit dieser Art sollte unbedingt in Supervisionssitzungen durchgearbeitet werden, damit der Berater bewußter mit seinen diesbezüglichen Verletzungen, wie zum Beispiel dem Gefühl, für den Klienten nicht wichtig zu sein oder nicht respektiert oder geliebt zu werden, umgehen lernt. Schließlich kann der Klient nichts dafür, wenn der Berater seine „Hausaufgaben nicht gemacht hat". Es bringt in diesem Zusammenhang gar nichts, wenn der Berater versucht, seine Aggression wegzudrücken, sie zu leugnen, schönzureden: „Ich bin nicht wütend, weil Du ständig zu spät kommst, ich bringe nur mehr Energie in unsere Kommunikation, damit Deine schreckliche Unbewußtheit durchbrochen wird, und Du merkst, wie Du mit Deinem Verhalten Deine Beziehungen vergiftest." oder sich in Selbstvorwürfe hineinsteigert: „Ich bin unfähig, Lebensberatungen zu geben, ich sollte besser wieder in meinen alten Beruf zurück."

Doch warum kommen Klienten notorisch zu spät? Einige Gründe dafür können sein:

➤ Mangelhafte Abgrenzungsfähigkeit gegenüber den Ansprüchen anderer, die keine Rücksicht auf die Belange des Klienten nehmen und ihn deswegen zu lange mit Beschlag belegen. Merksatz: „Wer es allen rechtmachen will, kriegt über kurz oder lang Streß mit jedem."

➤ Angst vor der Beratung oder der Person des Beraters. Merksatz: „Papi ist heute bestimmt wieder böse auf mich." oder: „Die Beratung macht mich immer ganz traurig."

➤ Eine seit langem mit Terminen und Verpflichtungen überladene Lebensstruktur, so daß, meist unbewußter, Widerwillen gegen weitere Verpflichtungen entsteht, obwohl ja mit den Beratungen Streß abgebaut werden soll. Oder es kann bei derselben überfüllten Struktur auch sein, daß der Klient das Gefühl hat, die Zeit der Lebensberatung sei Freizeit und könne verbummelt werden, um Entlastung von den drückenden Forderungen des restlichen Lebens zu schaffen. Merksatz: „Ich will endlich mal frei haben."

> **Es gibt viele Gründe für notorisches Zu-spät-Kommen**

➤ Der innere Zwang, sich herabsetzen zu müssen; jede Begegnung mit einer Entschuldigung über die eigenen Mängel beginnen zu müssen. Merksatz: „Wenn ich jedem gleich zeige, daß ich nichts bin und nichts kann, bekomme ich vielleicht wenigstens Mitleid, man erwartet nichts mehr von mir und schont mich."

➤ Die, meist unbewußte, Absicht, den Berater warten zu lassen, um diesen zu bestrafen oder ihm zu beweisen, daß er, der Klient sich nichts aufzwingen läßt. Beide Gründe deuten auf eine grundsätzliche Schwierigkeit im ungezwungenen Umgang mit Autoritätspersonen hin, die zumeist in einer Beziehungsstörung zum Vater während der Kindheit ihre Ursache haben. Im ersteren Fall, dem verdeckten Wunsch, den Berater zu bestrafen, kann es auch sein, daß der Klient bestimmte Verhaltensweisen oder Auskünfte des Beraters als Übergriffe oder Verletzungen empfindet und sich dafür „rächen" will. Schon die Empfehlung an den Klienten, beispielsweise einen Psychotherapeuten aufzusuchen, oder der Versuch des Beraters, dem Klienten bewußt zu machen, daß dieser selbst verantwortlich ist für bestimmte schwierige Lebensumstände, kann solche Aggressionen auslösen. Merksatz: „Dir werd ich's zeigen, wer hier wem was sagt."

➤ Der Wunsch, sich darüber beklagen zu können, daß „andere" einen nicht leben lassen, wie man will. „Andere" bewirken, daß der Klient zu spät kommt – und sicher noch viele andere Probleme in seinem Leben mehr – und es tut so gut, dies endlich einmal einem verständnisvollen Menschen wie dem Berater erzählen zu können, wie sehr man unter der Macht der „anderen" leidet. Hier liegt natürlich das

> „Nicht ich bin schuld, daß ich zu spät komme. Es sind immer ,die anderen'"

tiefe Bedürfnis zugrunde, keine Verantwortung für das Leben übernehmen zu müssen. Merksatz: „Als Opfer ist das Leben so schön bequem."

➤ Zu guter Letzt kann es auch sein, daß der Klient mit seinem Verhalten den Berater herausfordern will. Der Klient will sich wieder einmal beweisen, daß er nicht angenommen wird, daß er nicht so akzeptiert wird, wie er ist. Deswegen bemüht er sich, den Berater zu reizen. Oft jammert hier ein kleines Kind in dem scheinbar starken Erwachsenen nach Zuneigung und Liebe. Merksatz: „Ich weiß, daß Du mich nicht magst, deswegen pikse ich Dich solange, bis Du es zugibst."

Wie sollte der Berater bei notorischem Zuspätkommen reagieren? Am Wichtigsten ist, wie schon weiter oben erwähnt, die Bewußtheit über die eigene gefühlsmäßige Betroffenheit. Fühlt sich der Berater durch das Verhalten des Klienten verletzt, wird er diesen nicht angemessen begleiten können. Hier sei noch einmal auf die Bearbeitung des Themas in der Supervision hingewiesen. Weiterhin hat sich die folgende Vorgehensweise bewährt: Beginnt der zu spät gekommene Klient damit, sich zu entschuldigen, kann ihm der Berater mit einem warmen Lächeln sagen, daß er sich deswegen keine Probleme machen soll, es würde ihm nichts ausmachen. Schade sei nur, daß jetzt weniger Zeit für die Sitzung zur Verfügung stünde. Es ist also wichtig, daß die Beratungszeit nicht nach hinten verlängert wird, und daß dem Klienten der volle Preis der Sitzung berechnet wird, ohne daß der Berater ärgerlich oder gekränkt reagiert. Nur so wird es dem Klienten ermöglicht, zu lernen, auf eine erwachsene Art und Weise mit seinem Leben umzugehen. Ein Erwachsener kann alles machen – er muß nur für die Konsequenzen seines Handelns geradestehen. Deswegen

> **Ein erwachsener Mensch kann alles machen – er muß nur für die Konsequenzen seines Handelns geradestehen**

ist es kein Problem für den Berater, wenn der Klient ständig zu spät kommt, solange dieser die Honorare trotzdem in voller Höhe zahlt. Denn es liegt in der Verantwortung des Klienten, in seinem Leben Platz für die Beratungen zu schaffen. Der Berater ist nur dazu verpflichtet, den vereinbarten Zeitraum ebenfalls für den Klienten freizuhalten. Würde der Berater aus falsch verstandenem Mitleid die Beratungszeit nach hinten verlängern, um das Versäumnis des Klienten wettzumachen, würde er Verantwortung für dessen Leben übernehmen und ihn damit nur weiter ermutigen, sich abhängig und machtlos zu machen. Natürlich wird es bei dieser Reaktion des Beraters häufig zu Wut oder Beleidigt-Sein bei dem Klienten kommen. Hier muß nun mit viel Fingerspitzengefühl die Struktur des Verhaltens des Klienten geklärt werden und das Thema „Verantwortung" besprochen werden. Bei korrekter Bearbeitung läßt sich hier viel Gutes bewirken.

Nimmt der Klient die Reaktion des Beraters (kein Problem, die Stunde ist jetzt nur kürzer) ohne starke Gefühlsaufwallung an, sollte der Berater nicht auf eine Bearbeitung des Themas „Notorisches Zu-Spät-Kommen" drängen.

Beratung lohnt sich immer dann am meisten, wenn in dem Klienten stärkere Gefühlsenergien in Bewegung geraten. Wo Energie ist, kann etwas bewirkt werden. Energielose Zustände lassen sich nicht ändern, sie müssen erst wieder durch Kraft belebt werden.

Private Inanspruchnahme

Wenn Klienten versuchen, sich außerhalb der Beratung mit dem Berater zu verabreden, ihn zu Festen oder zum Essen einladen, ist Vorsicht angebracht. Nicht jeder respektiert, daß der Berater jetzt „außer Dienst" ist und erwartet vielleicht eine Sitzung in informellem Rahmen. Deswegen sollten private Verabredungen mit Klienten erst angenommen werden, wenn bereits eine längere Bekanntschaft besteht und der Berater Grund zu der Annahme hat, daß seine Freizeit respektiert wird.

Kommen Klienten unangemeldet in die Praxis und wollen Beratungen haben oder einfach klönen, sollte der Berater sich darüber im klaren sein, daß er Präzedenzfälle schafft, die seinen eigenen Lebensplan immer mehr durcheinanderbringen, seine Erholungspausen stören und Termine mit anderen Klienten beeinträchtigen, wenn er sich darauf einläßt. Die Lebensberatungspraxis ist keine Gaststätte und kein Freizeitheim – die Arbeitszeit des Beraters darf sowenig wie die Arbeitszeit eines jeden anderen Menschen von Leuten, die gerade nichts zu tun haben, durch nicht abgesprochene Freizeitaktivitäten vergeudet werden. Außerdem liegen in diesem Fall häufig einige im Rahmen der Beratung wichtige Hintergründe des Verhaltens vor: Einmal kann es sein, daß der Klient gerne eine private Beziehung zu dem Berater herstellen möchte, weil er sonst

> **Auch ein Lebensberater hat ein Recht auf seine Freizeit**

niemanden hat, der mit ihm befreundet ist. Hier sollte bei Gelegenheit das Thema: „Wie finde ich Freunde und Spielkameraden?" bearbeitet werden. Dann ist es möglich, daß der Klient sich in der Praxis sicher und geborgen fühlt – und „draußen" Angst hat. Hier muß dem Gefühl der tiefen Unsicherheit auf den Grund gegangen und sicherheitshalber vielleicht auch ein Psychotherapeut eingeschaltet werden. Weiterhin kann auch hier der schon weiter oben genannte Hintergrund: „Ich muß die Beziehung belasten, um herauszufinden, ob Du mich wirklich magst!" vorhanden sein. Wenn der Berater Wut über diese unverhofften Störungen in sich spürt, sollte auch hier wieder unbedingt eine Bearbeitung des Themas in der Supervision vorgenommen werden. Eine angemessene Reaktion ist es, den Klienten in der Tür zu empfangen, ihn freundlich zu begrüßen und ihm dann, ohne sich auf Diskussionen einzulassen, klarzumachen, daß jetzt keine Zeit für ihn vorhanden ist. Liegen medizinische Notfälle vor, sollte der Rat gegeben werden, einen Mediziner aufzusuchen. Ansonsten kann, wenn es angeraten erscheint, zum nächstmöglichen Zeitpunkt ein Beratungstermin vereinbart werden.

> **Eine private Einladung kann viele verschiedene Gründe haben**

Diese Vorgehensweise mag zu hart wirken, aber die Praxis zeigt, daß Berater, die sich auf unabgesprochene Inanspruchnahme durch Klienten regelmäßig einlassen, schnell zu Nervenbündeln werden und den Spaß an ihrer Arbeit verlieren. Und daran sind nicht die „bösen Klienten" schuld. Es ist die Aufgabe und Pflicht des Beraters, für sich zu sorgen, nicht die seiner Klienten. Die haben genug mit ihrem eigenen Weg zu tun und können ein gesundes Arbeitsverständnis von ihrem Berater erwarten.

Wenn mit (un-)schöner Regelmäßigkeit am Wochenende, abends und sogar spät nachts das Telefon klingelt und Klienten „gerade jetzt ganz dringend mit jemandem reden müssen oder eine telefonische Betreuung brauchen", kann das Privatleben des Beraters äußerst schwierig werden, sofern er sich darauf einläßt. Die einfachsten Regelungen sind: eine Geheimnummer für den privaten Telefonanschluß, die nur an Verwandte, Freunde und gute Bekannte herausgegeben wird und ein Anrufbeantworter für den Geschäftsan-

schluß, der außerhalb der Sprechzeiten
läuft. Es ist sehr wichtig für einen Lebensberater, der lange und glücklich tätig sein möchte, sich darüber klar zu
sein, daß er genauso wie jeder andere

> **Wie entgeht man dem Telefon-„terror"?**

Mensch auch einen Anspruch auf ein unbehelligtes Privatleben hat. Er ist kein Notarzt und kein Rettungssanitäter
und auch nicht bei der freiwilligen Feuerwehr oder dem Ka-
tastrophenschutz. Wenn nicht im großen und ganzen eine
klare Trennung zwischen Arbeit und Freizeit eingehalten
wird, ist ein Burn-Out praktisch garantiert.

Mein Lebensberater kann alles

Eine tückische Falle in der Beratungspraxis schnappt zu,
wenn der Berater sich darauf einläßt, von seinen Klienten
als der „Alles-Könner" und „Löser eines jeden Problems"
auf ein Podest gehoben und zur Bewunderung freigegeben
zu werden. Dieser Wunsch nach dem „großen Vater", der
alles kann und alles weiß, ist in jedem Menschen mehr oder
minder vorhanden. Er entsteht aus dem Erleben des Klein-
kindes, für das jeder Erwachsene eine Art Gott ist. Für ein
kleines Kind ist diese Art der Weltsicht in Ordnung; sie wird
meist durch die Abnabelungskämpfe in der Pubertät gera-
degerückt. Nur wenn diese Einschät-
zung noch im Erwachsenen vorherrscht,
gibt es Probleme. Es entstehen dadurch
automatisch Abhängigkeitsstrukturen,
Ausbeutungsbeziehungen, Ohnmacht
und Minderwertigkeitsgefühle sowie
Haß und Neid auf die „Großen". Ein ty-
pischer Ablauf ist deswegen das „In-

> **Ein erwachsener Mensch sollte nicht mehr wie ein kleines Kind denken**

den-Himmel-Loben" des Beraters zu Beginn der Beziehung.
Jedes Wort wird praktisch kritiklos geglaubt, jede Marotte
des Beraters mit einer wunderbaren Bedeutung unterlegt.
Stellt sich nach einiger Zeit heraus, daß der Berater fehlbar
ist, nicht alles richtig macht und nicht alles weiß, keine Wun-

der wirken kann, wird der Spieß herumgedreht und nun unterstellt, der Berater „könne eben nichts", „sei ein Täuscher", „beute seine Kunden aus" und ähnliches mehr. Es kommt dann auch mitunter dazu, daß andere Klienten und auch Kollegen oder Partner im Netzwerk „über die Machenschaften und das wahre Wesen des Beraters aufgeklärt werden", daß sich informelle Interessengruppen bilden, die gegen ihn vorgehen wollen und dergleichen mehr. Auch hier sollte unbedingt bedacht werden, daß ein derartiges Verhalten seitens eines Klienten nicht auftritt, weil dieser böse oder dumm ist, sondern weil hier frühkindliche Verhaltensweisen noch nicht an das Erwachsen-Sein angepaßt worden sind. Der Klient muß einfach seine Pubertät nachholen. Fühlt sich der Berater durch das Verhalten des Klienten verletzt oder kann nicht verstehen, warum so etwas passiert, sollte dieses Thema unbedingt in der Supervision durchgearbeit werden. Der korrekte Umgang mit Übertragungssituationen gehört zum unentbehrlichen Handwerkszeug in der Lebensberatungspraxis.*

Erfüllungsmaschine für Klientenwünsche?

Es ist sicher ein gewisses Risiko darin enthalten, wenn ein Lebensberater sich strikt vorbehält, sich nur für die Erreichung *der* Ziele seiner Klienten einzusetzen, die er für ethisch vertretbar hält und die er auch im Gesamtkontext des Lebens seines Klienten für sinnvoll hält. Viele Menschen kommen mit der festen Vorstellung in eine Lebensberatung, daß sie nun jemanden dafür bezahlen, daß er ihnen dabei hilft, genau das zu bekommen, was sie wollen. Meiner Erfahrung nach ist es aber zum ei-

> **Die ethische Einstellung des Lebensberaters ist sehr wichtig**

---

* Vergleiche dazu auch das Buch „Das Projektionsprinzip" und das Kapitel „Widerstand, Abwehr und Sabotageprogramme"

nen für den Lebensberater, der sich auf derartige Spielchen einläßt, schon nach kurzer Zeit nicht mehr ganz einfach, sich selbst im Spiegel stolz auf seine Leistungen in die Augen zu schauen, und zum anderen ist das, was viele Menschen meinen, unbedingt haben zu müssen, nicht das, was sie tatsächlich langfristig glücklich macht, wenn sie es denn endlich mit viel Schweiß errungen haben. Nicht das, was wir wollen, macht uns glücklich und erfolgreich, sondern das, was wir wirklich brauchen. Der Verstand mit seinem rationalen Verständnis des Lebens steht häufig der Erfüllung der tiefen Sehnsüchte des Gefühls im Wege, weil er sie für albern, banal oder einfach falsch hält.

Seitdem ich diese Tatsache verstanden hatte, ließ ich mich immer gerne auf den Balanceakt in den ersten Sitzungen ein, mit dem Klienten zusammen zu erarbeiten, was von seinen Wünschen wirklich zu ihm paßte und was ihn eher unglücklicher machen würde. Schnell kamen dann die zentralen Themen praktisch jeder längerfristigen Lebensberatung hoch, wie: „Was ist Glück für mich?", „Was ist Erfolg für

> **Welche Wünsche passen wirklich zum Klienten?**

mich?", „Was ist Gesundheit für mich?", „Woran merke ich konkret, daß ich glücklich, erfolgreich, gesund bin, wofür will ich die Verbesserung meines jetzigen Zustandes eigentlich haben und welchen Preis bin ich bereit, dafür zu zahlen?", „Was ist der Sinn meines Lebens und wie kann ich ihn verwirklichen?". Diese und ähnliche Bewußtwerdungsprozesse sind von zentraler Bedeutung für den letztlichen Erfolg jeder Beratung. Sie bilden den Mutterboden, in dem die zarten Keime von Glück, Erfolg und Gesundheit Wurzeln fassen, sicher behütet und gut genährt dem Licht der Selbstverwirklichung entgegen wachsen können.

Natürlich braucht es von Seiten des Lebensberaters für die erfolgreiche Bewältigung dieses Teils der Beratung ein gerüttelt Maß von aus praktischer Erfahrung und theoretischem Verständnis gewachsenem Vertrauen in diese Vorgehensweise. Nur dann wird ihn sein Klient ernst nehmen können. Wer seinen eigenen Impulsen von Gier und Angst, von Illusion und Widerstand gegen echtes Wachstum unbewußt und unkritisch gegenübersteht, wird seinem Gegenüber nicht klarmachen können, daß Wünsche vor ihrer Verwirklichung der sorgsamen Überprüfung auf „Glückstauglichkeit" bedürfen.

Natürlich werden einige Menschen sich nicht auf diesen Schritt der Klärung einlassen wollen. Damit muß ein Berater sich abfinden. Langfristig wird aber der Erfolg ihm Recht geben und in seinen Kunden Vertrauen zu seiner persönlichen und fachlichen Kompetenz aufbauen. Den Wünschen von Klienten einfach nur deswegen zu entsprechen, weil „das Geld dann leichter verdient wird und es ja reicht, wenn sie zufrieden sind", halte ich für ethisch nicht vertretbar.*

> **Auf lange Sicht gesehen wird nur eine ethisch einwandfreie Grundeinstellung für der Erfolg der Lebensberaterpraxis sorgen**

Ich spreche diese Grundeinstellung so frühzeitig wie möglich an, damit ein Klient sich darüber im klaren ist, was ihn bei mir erwartet – und was ich nicht zu leisten bereit bin.

Übergreifende Orientierungen für die Beratungspraxis

Ein weiterer wichtiger Punkt, der zu diesem Thema berücksichtigt werden muß, sind übergreifende Orientierungen für die gesamte Beratungspraxis. Dafür verwende ich mit Erfolg seit Jahren die drei Werte „Bewußtsein", „Liebe" und „Eigenverantwortung". Diese Qualitäten versuche ich generell mit dem, was ich für andere Menschen tue, zu fördern. Was auch immer die individuelle Problemstellung ist, diese drei Pfeiler des Glücks tragen die Struktur der gesamten Beratung. Was verstehe ich nun im einzelnen darunter?

---

* Die Kosten des „Geldverdienens um jeden Preis" sind zu hoch. Vergleiche hierzu mein Buch „Das Tao des Geldes", Windpferd Verlag

1. Entwicklung der Liebesfähigkeit

Die Fähigkeit, Einheit herzustellen wird gefördert. Haß, Ekel, Intoleranz, Neid, Gier, Armutsbewußtsein, Helfersyndrom, Eifersucht, hierarchisches und konkurrenzbetontes Denken, Rachegefühle, Verleugnung der eigenen Bedürfnisse und der körperlichen, seelischen und geistigen Eigenarten sind Zeichen von Trennung und bedingen letztlich Unglück, Leid und Mißerfolg. Die Entwicklung der Liebesfähigkeit zeigt sich dadurch, daß ein Mensch sich in den anderen Wesen und Dingen der Schöpfung zunehmend wiedererkennt und damit ein höheres Maß an Einheit herstellt. Er wird dadurch mit sich und der Welt zufriedener, entwickelt

> **Liebesfähigkeit**
> **– Lieben heißt:**
> **glücklich sein**
> **mit ...**

Ur-Vertrauen und eine harmonischere Beziehungsfähigkeit. Die oben genannten Verzerrungen werden nach und nach geheilt. Merksatz: „Lieben heißt: glücklich sein mit ...“

2. Erweiterung des Bewußtseins

Die Fähigkeit, mehr von der Schöpfung wahrzunehmen, die Wahrnehmungen zu differenzieren, den Zusammenhang und das sinnvolle Zusammenwirken der Dinge in der Welt zu verstehen, wird gefördert. Die Entwicklung des Bewußtseins zeigt sich in gesteigerter Sensibilität und gesunder Urteilskraft, erweitertem Verständnis für andere Formen der Lebensgestaltung, Geduld und Hingabe an konstruktive Vorhaben, die das ganzheitliche Wohl aller Beteiligten berücksichtigen, weil Einsicht in die innere Struktur der Lebensprozesse und die Notwendigkeit bestimmter Abläufe besteht. Ebenso wird ein intuitives Verständnis transpersonaler* Zusammenhänge im Leben gefördert. Die Wahrnehmung der eigenen, wirklichen Bedürfnisse wird verbessert. Merksatz: „Bewußtsein ist die freie und unverzerrte Nutzung der sinnlichen Wahrnehmung, verbunden mit der

---

* „Transpersonal" bedeutet hier: Betrachtungsweise einer Situation, die über den Augenblick und die direkt wahrnehmbaren Ereignisse und Zusammenhänge hinausgeht. Transpersonale Wahrnehmung ist ein Blick hinter die Kulissen des Lebens,

Bewußtsein – die freie und unverzerrte Nutzung der sinnlichen Wahrnehmung, verbunden mit der vorurteilslosen Auswertung der auf diese Weise gewonnenen Informationen

vorurteilslosen Auswertung der auf diese Weise gewonnenen Informationen."

3. Förderung der Eigenverantwortung
Die Fähigkeit, mehr von dem, was das eigene Leben betrifft, als bewußt oder unbewußt selbstverursacht zu akzeptieren und Kontrolle darüber zu erlangen, wird gefördert. Die Entwicklung der Eigenverantwortung zeigt sich darin, daß Vertrauen in die eigene Person und ihre Möglichkeiten zunehmen. Die in jedem Menschen verborgenen einzigartigen Talente werden aktiviert, können dadurch mehr zur Geltung kommen und ihren Beitrag zum Wohle aller leisten. Durch die aktive Befriedigung der eigenen Bedürfnisse wird die Gesundheit gestärkt und mehr Zufriedenheit, Erfolg, Schaffenskraft und Selbsterkenntnis werden erreicht. Eine entwickelte Fähigkeit zur Eigenverantwortung ist die unabdingbare Voraussetzung für „Sich-abgrenzen-" oder „Einlassen-Können" in jeder Hinsicht. Eigenverantwortung entsteht durch Anerkennung und Annahme des göttlichen Geburtsgeschenkes des freien Willens.

Das übergeordnete Prinzip ist die freie, selbstbestimmte Anteilnahme an der Evolution der Schöpfung

Alle drei Punkte sind absolut gleichwertig zueinander und in ihrer Funktion voneinander abhängig. Eine Qualität kann nicht ohne die beiden anderen dieses archetypischen Musters der Lebendigkeit entwickelt werden. Das übergeordnete Prinzip ist die freie, selbstbestimmte Anteilnahme an der Evolution der Schöpfung als Verwirklichung des göttlichen Willens auf individuelle Weise und unter ausdrücklicher Berücksichtigung der eigenen Bedürfnisse.

---

der übergreifende Lernprozesse und Problemstrukturen, sinnvolle Entwicklungsmöglichkeiten und verborgene Entwicklungshemmnisse deutlicher werden läßt. Transpersonale Einsichten in das Alltagsgeschehen sind praktisch angewandte Esoterik.

Es ist nicht sinnvoll, diese Orientierung einfach auswendig zu lernen und mechanisch zu übernehmen. Eine sorgfältige theoretische und praktische Prüfung ihres Wertes sollte die Vorbedingung für den Einsatz in der Lebensberatungspraxis sein.

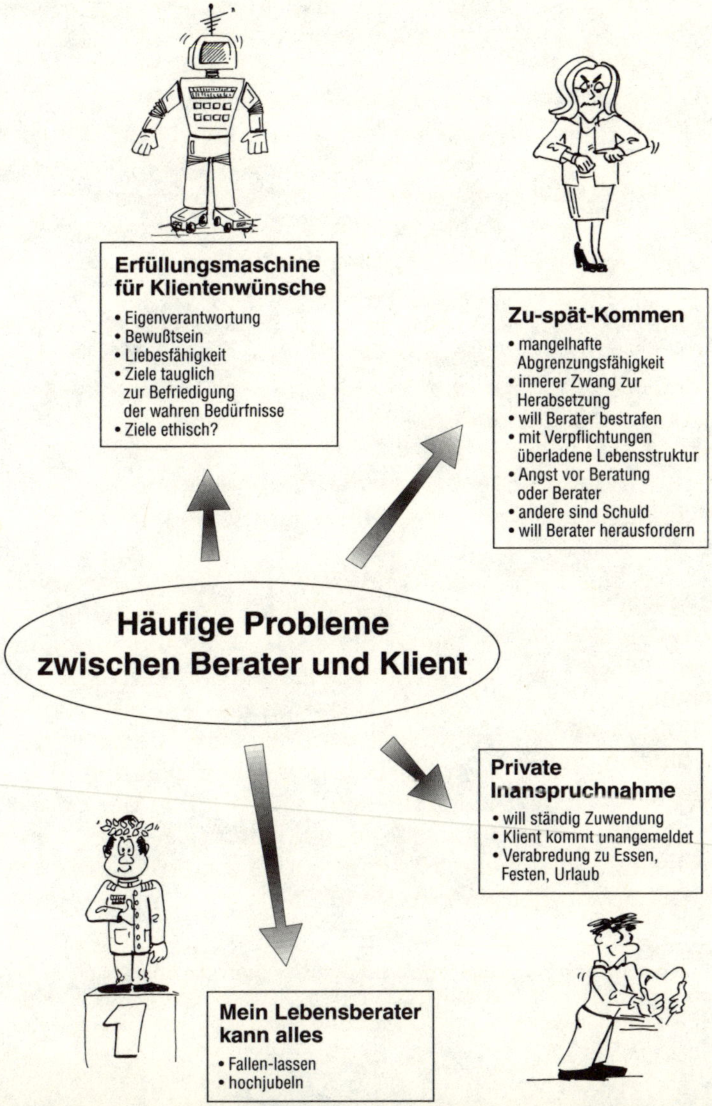

**Erfüllungsmaschine
für Klientenwünsche**

- Eigenverantwortung
- Bewußtsein
- Liebesfähigkeit
- Ziele tauglich
  zur Befriedigung
  der wahren Bedürfnisse
- Ziele ethisch?

Zu-spät-Kommen

- mangelhafte
  Abgrenzungsfähigkeit
- innerer Zwang zur
  Herabsetzung
- will Berater bestrafen
- mit Verpflichtungen
  überladene Lebensstruktur
- Angst vor Beratung
  oder Berater
- andere sind Schuld
- will Berater herausfordern

**Häufige Probleme
zwischen Berater und Klient**

**Private
Inanspruchnahme**

- will ständig Zuwendung
- Klient kommt unangemeldet
- Verabredung zu Essen,
  Festen, Urlaub

**Mein Lebensberater
kann alles**

- Fallen-lassen
- hochjubeln

Kapitel X

Widerstand, Abwehr und Sabotageprogramme

Was ist Widerstand?

Psychologische Definition: meist unbewußte Weigerung einer Person, sich bestimmte psychische Inhalte wie etwa verdrängte Wünsche, Schuldgefühle, Wut oder Trauer während einer Psychotherapie bewußt zu machen. Damit im Zusammenhang steht die Weigerung, sich mit der psychotischen Störung auseinanderzusetzen. Widerstand äußert sich unter anderem durch Kritik an der persönlichen Integrität oder der fachlichen Qualifikation des Therapeuten, Vergessen von Therapieterminen, beständigem Schweigen oder auch der Wahl von banalen Gesprächsinhalten während der Sitzung.*

Natürlich findet Widerstand in dem eben dargestellten Sinne nicht nur im Rahmen einer Psychotherapie statt. Es ist ein ganz „normales", weil häufig anzutreffendes Phänomen des Alltags und im Prinzip immer mit Lernprozessen aller Art verbunden. Auch in der Lebensberatungspraxis taucht Widerstand oft auf.

Beispiel: Ein Fall, den jeder Lebensberater in unendlich vielen Variationen während einer

---

* Ein Klient, der Widerstand zeigt, ist weder dumm noch böse. Er zeigt nur, daß wichtige Teile seiner Persönlichkeit die Notwendigkeit eines Lernprozesses, einer Veränderung der Lebens- und Persönlichkeitsstruktur noch nicht akzeptieren und/oder, daß noch nicht genug Vertrauen in die Person des Beraters oder andere Rahmenbedingungen der Beratung besteht, um sich auf die Veränderung einzulassen.

langen Berufspraxis erlebt: Ein Klient vereinbart einen Termin und bittet um Hilfe bei der Förderung seiner Karriere. Der Berater informiert sich über die Zusammenhänge sowie die privaten Probleme des Klienten, seine Beziehungsschwierigkeiten zu Kollegen, Kunden und Vorgesetzten, seine fachlichen Kompetenzmängel und leitet entwicklungsfördernde Maßnahmen ein, die der Klient auch mit ihm übt und jetzt nur noch in seinen Alltag zu übertragen bräuchte. Und der tut das dann nicht. Er findet Ausreden, warum er wichtige Übungen nicht machen konnte. Er kommt vielleicht auch nicht mehr regelmäßig zu den Beratungen.

Immer wenn Menschen etwas wider besserem Wissen nicht tun, was ihre Gesundheit, ihren Erfolg, ihre Lebensqualität ganz allgemein fördern würde, sind im Unterbewußtsein die sogenannten „Sabotageprogramme" am Werke, die auf clevere Art und Weise den Status quo beizubehalten suchen. Noch ein paar Beispiele für Widerstände:

> **Sabotageprogramme versuchen, den Status quo aufrechtzuerhalten**

➤ Der Klient kommt regelmäßig so spät zu den Beratungen, daß zu wenig Zeit für die Bewältigung seiner Schwierigkeiten vorhanden ist.

➤ Der Klient findet immer neue Ausreden, warum er bestimmte Übungen, Hausaufgaben nicht machen konnte oder diese für ihn nicht geeignet sind.

➤ Der Klient verlegt seinen Autoschlüssel und verpaßt deswegen eine wichtige Sitzung.

➤ Der Klient verschweigt dem Berater, daß er die während der Sitzungen erzielten Ergebnisse nicht in seinen Alltag integriert.

➤ Der Klient übernimmt kurzfristig so viele freizeitfressende Ehrenämter oder macht regelmäßig so viele Überstunden, daß zu wenige Beratungssitzungen eingeplant werden können und er außerdem so verausgabt ist, daß neues Verhalten nicht ausprobiert werden kann und Hausaufgaben ihn schlichtweg überfordern.

➢ Der Klient erklärt freudestrahlend nach einigen Sitzungen, er hätte jetzt zum ersten Mal in seinem Leben ganz bewußt etwas für seine Entspannung getan und Verantwortung für sich übernommen und damit etwas Wichtiges gelernt. Er hätte nämlich entschieden, das sorgsam mit dem Berater zusammen ausgearbeitete Programm zur Stärkung seines Selbstbewußtseins und die dazugehörigen Hausaufgaben nicht zu machen, sondern erstmal nur zu den Beratungen zu kommen, um sich zu entspannen – oder: er wolle die Beratungen jetzt erstmal einige Zeit aussetzen. Dann hätte er mehr Freizeit und und die Probleme würden sich von ganz allein lösen.

➢ Der Klient nimmt einen hohen Kredit für Konsumzwecke auf und hat deswegen kein Geld mehr, um die Beratungen zu bezahlen.

➢ Der Klient teilt dem Berater mit, er hätte da ein Buch von einem Fachmann gelesen und der wäre ganz anderer Meinung als der Berater. Er, der Klient, sei deswegen zu der Ansicht gekommen, der Berater sei wohl noch nicht ganz fertig mit seiner Ausbildung und solle doch besser andere nicht beraten. Oft möchte der Klient den Berater in einer anschließenden Diskussion über den „besseren" Weg ausführlich belehren.

Widerstand ist ein Phänomen, das nicht nur im Rahmen der Lebensberatungen auftritt. Hier kommen die diversen Blockaden, die auch vorher schon dem Glück und der Heilung im Wege gestanden haben, besonders deutlich heraus. Schließlich wird ja nun konzentriert an einer Verbesserung der Lebensqualität gearbeitet und dementsprechend laufen alle unterbewußten Abwehrmechanismen gegen Veränderungen auf Hochtouren. Aber es gibt auch noch eine andere, wichtige Seite dieses Phänomens ...

> **Widerstand taucht nicht nur in der Lebensberatungspraxis auf**

Den positiven Sinn
des Widerstandes verstehen

Wenn Widerstand auftritt, sollte mit dem Klienten erst einmal vorrangig an der Harmonisierung der hinter diesem Verhalten stehenden Sabotageprogramme gearbeitet werden. Doch was bedeutet dieses seltsame Wort überhaupt? Sabotageprogramme sind im Unterbewußtsein existierende Bewahrer einmal erlernter und für wichtig befundener Verhaltensweisen und Weltbilder. Sie werden in den meisten Fällen zu Beginn unseres Lebens in der Kindheit und, weniger häufig, in der Jugend gebildet. Zum Beispiel mag ein Kind Eltern haben, die der Auffassung sind, es habe zu parieren und brav zu sein. Deswegen bestrafen sie deutliche Gefühlsregungen, Aggressivität und die Äußerung von Meinungen, die von der ihren abweichen, mit Liebesentzug, Mißachtung und Abwertung. Da für das Kind die liebevolle Zuwendung der Eltern lebenswichtige Bedeutung hat und damit viel wichtiger ist, als momentan seine Gefühle zu zeigen, gewöhnt es sich Verhaltensweisen an, die seinen Erziehungsberechtigten gefallen. Weil dieses Verhalten sehr wichtig ist, bildet sein Unterbewußtsein in gewissen Maße selbständige Programme aus, die Verhaltensänderungen in diesem Punkt schon im Ansatz verhindern. So wird dafür gesorgt, daß das Bewußtsein zum Beispiel die zu schützenden Verhaltensweisen nicht bemerkt, daß es scheinbar vernünftige Erklärungen (Scheinrationalisierungen wie: „Es sollte wohl nicht sein!") für dieses Verhalten findet, die natürlich mit den wahren Gründen nichts zu tun haben oder die Wächter (Sabotageprogramme) sorgen für „Zufälle", wie plötzliche Erkrankungen, Unfälle, Vergeßlichkeit und dergleichen, die Änderungen des Verhaltens sehr erschweren.

> **Ein Sabotageprogramm versucht, das aus seiner Sicht Richtige zu tun, um den Klienten zu schützen**

Die Absicht eines solchen Sabotageprogrammes ist *niemals* wirklich bösartig oder negativ. Es will nur das aus

der Sicht eines bestimmten Lebensabschnittes Beste, was
der betreffende Mensch gelernt hat, bewahren, um ihn zu
schützen. Dabei geht es in vielen Fällen davon aus, daß
das Bewußtsein nicht die Kompetenz hat, über eine Änderung des Verhaltens zu entscheiden. Stattdessen beobach-
tet der Wächter aus dem Unterbewußtsein heraus das Leben seines Menschen genau, und nur wenn Situationen
entstehen, die sehr ähnlich denen sind, in denen die zu be-
wahrenden Verhaltensweisen oder Weltbilder entstanden
sind und es unmißverständliche Erfahrungen gibt, aus denen sich schließen läßt, daß das alte
Verhalten den Sinn nicht mehr erfüllt,
ja sogar selbst Bedrohungen auslösen
könnte, tritt der Bewahrer beiseite und
gestattet Änderungen. Jedes Sabotageprogramm, wie ich diese Wächter, die
die Zeit verschlafen haben, auch nenne, hat eine Markierung, die zum einen

> **Sabotagepro-
> gramme sind
> Wächter, die die
> Zeit verschlafen
> haben!**

die Wichtigkeit der von ihm geschützen Verhaltensweise dokumentiert und zum anderen eine Art Schalter für eine etwaige Verhaltensänderung darstellt.

*Die Markierungen der Sabotageprogramme teile ich
folgendermaßen ein*
Änderungen sind nur erlaubt, wenn:

➤ der übergeordnete Lebenssinn nicht mehr erfüllt werden kann *(Stufe 6).*
Beispiel: Ein Mensch hat sich nach reiflicher Überlegung
auf einen spirituellen Weg begeben. Er bemüht sich, seine
Liebesfähigkeit zu entwickeln, meditiert regelmäßig mit
Gesinnungsgenossen für den Frieden in der Welt und
strebt danach, zum Wohle des Ganzen zu wirken. Nach
einiger Zeit fällt ihm in dem Unternehmen, in dem er
arbeitet, ein Dokument in die Hände, aus dem ganz
unzweifelhaft hervorgeht, daß sein Arbeitgeber an der
Entwicklung neuer Waffensysteme für Dritte-Welt-Län-
der beteiligt ist. Obwohl er sonst eher ein ängstlicher

und auf Sicherheit bedachter Zeitgenosse ist, zögert er nicht lange und reicht seine Kündigung ein, weil er mit derartigen Machenschaften nichts zu tun haben will, auch wenn er dafür auf seine gewohnte und geliebte Sicherheit verzichten muß.

➤ wenn die individuelle Ausgestaltung des eigenen Lebens nicht mehr möglich ist *(Stufe 5).*

Beispiel: Wer einen neuen Arbeitsplatz bekommt, in ein Hotelzimmer oder eine neue Wohnung einzieht, wer einen neuen Wagen kauft oder im Urlaub am Strand eine Sandburg besetzt, wird in der Regel umgehend dafür sorgen, daß sich in „seinem Revier" auch seine Eigenart deutlich zeigt. Das Püppchen am Rückspiegel des Autos, die neuen Tapeten, der aus Muscheln gefertigte Schriftzug „Bayern" und dergleichen ist der Ausdruck des individuellen Selbstverständnisses. In diesem Zusammenhang kann es passieren, daß ein junger Mensch, der sich gerne in Punk-Klamotten kleidet und eine farbenprächtige, stachelige Haartracht bevorzugt, von seinen frustrierten Eltern vor die Alternative gestellt wird, Hausverbot zu bekommen oder sich ein „anständiges" Erscheinungsbild zuzulegen, sich zum Bruch mit den Eltern durchringt, weil er zu seinem individuellen Äußeren steht und es nicht aufgeben möchte.

Die Individualität muß gewahrt werden

➤ wenn die Beziehungen zur den dem Menschen wichtigsten Personen, zum Beispiel Lebensgefährten, Kinder, enge Freunde, nahestehende Familienmitglieder Gefahr laufen, dauerhaft gestört zu werden *(Stufe 4).*

Beispiel: Gibt es einen Krach mit dem Geliebten, wird, je länger er andauert, der Wunsch nach Versöhnung immer größer. Schnell taucht da die Bereitschaft auf, bestimmte Verhaltensweisen, die den anderen auf die Palme bringen, grundsätzlich oder doch zumindest für einige Zeit zu ändern.

➢ wenn die Fähigkeit zur Abgrenzung gegenüber uner-
wünschten Ansprüchen anderer verlorenzugehen droht
(Stufe 3).
Beispiel: Die kompromißlose Aggressivität der in die
Ecke getriebenen Ratte ist sprichwörtlich. Auch Menschen verhalten sich mitunter so. Da wird schon Mal aus
dem sanften Lämmchen ein feuerspeiender Drache,
wenn die Hammel drumherum dem armen Wesen ständig nur auf die zarten Füßchen treten.

➢ wenn die Lebensfreude generell und etwas spezieller die
körperbezogene Genußfähigkeit – beispielsweise Essen,
Trinken, Sex – nachhaltig gestört sind *(Stufe 2).*
Beispiel: Wer über Weihnachten und Sylvester gewichts-
mäßig kräftig zugelegt hat und beim prüfenden Blick in
den Spiegel feststellen muß, daß er in der knappen Som-
mergarderobe eher wie eine Karika-
tur aussieht und deswegen attrakti-
ve Partner für die Ausgestaltung des
intimeren Bereichs des Lebens wohl
nicht mehr so sehr anziehen kann,
wird häufig eine starke Motivation
aufbauen, das Eßverhalten zu ändern
und sogar ab und an aus dem Fern-

> **Gestörte
> Lebensfreude
> kann eine starke
> Motivation
> aufbauen**

sehsessel rauszukommen und sich in die schweißtrei-
benden Reiche der Fitneßstudios zu wagen.

➢ wenn das Überleben objektiv (also physisch) oder
subjektiv (also Werte, die symbolisch für das Überleben
stehen) nachhaltig bedroht wird *(Stufe 1).*
Beispiel: Manche Menschen müssen erst pleite gehen
oder längere Zeit schwer erkranken, bevor sie bereit sind,
ernsthaft in ihrem Leben aufzuräumen und sich zum Besseren zu ändern.

Stufe 1 ist in dieser Werteskala gleichbedeutend mit dem
am schwersten zu ändernden Verhalten beziehungsweise
Weltbild. Stufe 6 steht hier für das am einfachsten zu än-
dernde Verhalten beziehungsweise Weltbild. Warum dies so
ist? Nun, die Lebensaufgabe zu verwirklichen ist aus der

übergeordneten Perspektive des lebendigen Prozesses ein Luxus. Zuerst kommt immer das pure, kurzfristige Überleben, dann der Spaß und damit die langfristige Sicherung der Existenz und so weiter – siehe oben.

Bei der Harmonisierung von Widerständen hat sich der folgende Ablauf gut bewährt

➤ *Schritt 1* – Dem Klienten dabei helfen, Bewußtsein bezüglich seiner Widerstände in bezug auf ein Thema der Lebensberatung zu erlangen und ihm Gelegenheit geben, sich bewußt zu entscheiden, ob er jetzt an deren Harmonisierung arbeiten möchte oder nicht. Nur wenn eine klare Entscheidung zur Auflösung der Widerstände kommt, sollte der Lebensberater versuchen, daran weiter zu arbeiten. Fällt die Entscheidung erst einmal gegen die Harmonisierung der Widerstände aus, kann entweder die Beratung für einige Zeit unterbrochen oder sogar abgebrochen werden, wenn der Klient eine Denkpause braucht. Oder die Arbeit kann zu Themen hin verlagert werden, die voraussichtlich nicht mit dem identifizierten Widerstand im Zusammenhang stehen.

Der Klient muß sich seiner Widerstände bewußt werden

➤ *Schritt 2* – Die positive Absicht des Widerstandes verstehen lernen. Wege dafür können zum Beispiel sein: Orakel – Tarot, Runen, Chakra-Energie-Karten oder I Ging –, eine astrologische Analyse, NLP-Techniken wie „Verhandlungs-Reframing", „Six-Step-Reframing", „Time-Line" oder die Arbeit mit Teilpersönlichkeiten nach dem „Voice-Dialogue-Modell". Auch Trancearbeit, Rückführungen und andere Mittel der aufdeckenden Psychotherapie oder schamanisches Counseling sind geeignet.

➤ *Schritt 3* – Die herausgearbeitete positive Absicht des unbewußten Anteils immer wieder auf verschiedene direkte und indirekte Arten würdigen und im Zusammenhang damit immer wieder Anläufe nehmen, um das neue

Verhalten so im Alltag auszuprobieren, daß die positive
Absicht des Widerstandes angemessen berücksichtigt
wird. Häufig ist es sehr nützlich, in einer Trance mit dem
Wächter Kontakt aufzunehmen und ihm, wie einem Kind,
die Notwendigkeit der Änderung zu erklären, die Konsequenzen aufzuzeigen, die es haben würde, wenn das
Verhalten nicht geändert wird und klarzustellen, daß Verhaltensänderungen nur so geplant sind, daß die positive
Absicht des Widerstandes sicher erfüllt werden kann.

➤ *Schritt 4* – Sobald es den Anschein hat, daß der Wächter von der Notwendigkeit der Verhaltensänderung über-
zeugt ist und sich nicht mehr querstellen wird, solange
die Vereinbarung eingehalten wird, daß seine positive
Absicht auch weiterhin erfüllt wird, sollte in immer neu-
en und schwierigeren Situationen das neue Verhalten ausprobiert und die Ergebnisse hinterher in den Sitzungen
besprochen werden.

➤ *Schritt 5* – Abschließend kann noch ein „Notprogramm"
erarbeitet werden, für den Fall, daß aus irgendwelchen
zur Zeit nicht absehbaren Gründen der Wächter wieder
aktiv werden will. Zum Beispiel könnte in einer Trance
(Entspannungszustand, Phantasiereise) mit dem für den
speziellen Widerstand zuständigen
unterbewußten Persönlichkeitsanteil
ein Zeichen vereinbart werden, daß
dieser geben kann, wenn er seine Anliegen nicht mehr ausreichend berücksichtigt findet. Dann kann wie-

Mit dem „Wächter" kommunizieren

der verhandelt und eine neue Lösung gefunden werden.
Dieser Prozeß mag sich jetzt recht schwierig anhören,
aber in der Praxis ist fast jeder Mensch nach wenigen
durch einen Berater eingeleiteten Kontakten mit einem
Sabotageprogramm zu einer Art „innerem Dialog" in der
Lage. Dieser innere Dialog sollte das Ziel einer Beratung
zum sinnvollen Umgang mit Sabotageprogrammen sein.
Jeder, der sich in dieser Art mit Teilen seiner selbst abstimmen lernt, wird zu deutlich mehr Harmonie und innerer Kraft, Kreativität und Gesundheit finden.

Wenn ein Lebensberater über diese Zusammenhänge nicht informiert ist, kann er leicht folgende Fehler machen
➤ der Berater glaubt, der Klient will ihn ärgern
➤ der Berater kommt zu dem Schluß, sein Klient sei dumm (gelinde ausgedrückt)
➤ der Berater schreibt das Entwicklungshindernis dem angeblich schlechten Karma seines Klienten, dessen Schicksal, dem Wirken Schwarzer Magie oder Besessenheit zu.

Wer garantiert nicht weiterkommen möchte, sollte Probleme beim Wachsen und Lernen immer außerhalb seiner Selbst und am Besten bei dunklen Mächten suchen!

Sind solche Sackgassen in einer Beratung erst einmal beschritten, bleibt fast immer nur noch für den Klienten übrig, die Zusammenarbeit zu beenden und mit einem anderen Berater weiterzumachen. In einer Atmosphäre von Mißtrauen, Fatalismus, Verantwortungslosigkeit und Geringschätzung kann keine Persönlichkeitsentwicklung stattfinden.

Ein weiteres Phänomen, daß beinahe zwangsläufig in jeder längerfristigen Lebensberatung auftaucht, ist das der „Übertragung". Unter diesem Begriff ist die Neigung zu verstehen, bei dem Kontakt mit einem Menschen mit Gefühls- und Verhaltensmustern, mit Erwartungen und Ansprüchen zu reagieren, die in einer meist in der frühen Kindheit durchlebten Beziehung zu wichtigen Bezugspartnern wie Eltern und Geschwistern geprägt worden sind.

Beispiel 1: Ein Klient glaubt nach wenigen Sitzungen seinem Berater einfach alles. Er bittet ihn, sein Leben für ihn zu regeln und ihn gegenüber anderen bösen Menschen in Schutz zu nehmen. Der Klient teilt im Gespräch Freunden mit, sein Berater könne „alles regeln" und „sei so weise".

Kommentar: In diesem Fall ist der Klient in eine Übertragung geraten. Er wendet auf seinen Berater eine in der Kindheit erlernte Verhaltensweise an, hat Erwartungen an ihn, die dort sicher angemessen waren, aber in der jetzigen Situation hinderlich sind.

Beispiel 2: Nach einigen Beratungssitzungen beklagt sich ein Klient bei einem Freund darüber, daß sein Berater ihm alles vorschreiben würde. Er wisse immer alles besser und würde immer an ihm rumkritisieren. Nie könne er etwas richtig machen. Er fühle sich total gegängelt und überlege, ob er nicht die Beratung abbrechen solle.

Kommentar: Auch hier sind in dem Klienten Gefühlsmuster aus der Kindheit aktiviert worden. Er fühlte sich von seinen Eltern bevormundet, nicht für voll genommen. Immer kritisierten sie ihn. Der Berater wird jetzt mit den Eltern verwechselt.

Natürlich muß in allen Fällen zuallererst sorgfältig abgeklärt werden, ob wirklich eine Übertragung vorliegt oder ob die Reaktionen des Klienten nicht möglicherweise doch eine aktuelle Grundlage haben. Es ist ein unfeines Spiel, jede Beschwerde eines Klienten über seinen Berater gleich in Schubladen wie Widerstand, Abwehr oder Übertragung zu packen. Echte Übertragungen aber, die das Lebensglück hindern, sollten unbedingt bearbeitet werden. Dabei ist es wichtig, zu verstehen, daß das Auftreten von Übertragungen bei einer Beratung ein *gutes* Zeichen ist. Nur wenn Übertragungen aktiviert werden, lassen sie sich bearbeiten und schließlich auflösen. Wie immer bei der Einleitung von natürlichen Entwicklungsprozessen müssen chronische Wachstumsblockaden erst in ein akutes Stadium überführt werden, bevor sie harmonisiert werden können. Grundsätzlich sieht der Ablauf dazu folgendermaßen aus:

> **Spürt der Berater Wut, Enttäuschung oder andere destruktive Gefühle in sich, wenn ein Klient Widerstand zeigt, sollte unbedingt eine Durcharbeitung dieses Themas im Rahmen von Supervisionssitzungen stattfinden**

➤ *Schritt 1:* Mit dem Klienten zusammen erarbeiten, wann und wem gegenüber dieser ein bestimmtes Verhalten, bestimmte Gefühle, Erwartungen, Ansprüche, Enttäuschungen in seiner Kindheit oder Jugend wahrgenommen hat.

➤ *Schritt 2:* Einsicht darin vermitteln, daß die Gefühle und Verhaltensweisen einem anderen als dem aktuellen Gegenüber gelten, also nicht mit der Wahrnehmung der Gegenwart in Zusammenhang stehen.

➤ *Schritt 3:* Als Hausaufgabe die Übung mit auf den Weg geben, im Alltag möglichst viele derartige Situationen zu finden und so die Wahrnehmungen für Übertragungen zu verbessern.

➤ *Schritt 4:* Wenn der Klient ohne größere Schwierigkeiten allein in der Lage ist, seine Übertragungen als solche zu erkennen und sich auch bewußt dafür entscheidet, diese im Rahmen von Phantasiereisen, symbolischer Beziehungsarbeit oder ähnlichem mit den entspechenden Beziehungspartnern aus seiner Vergangenheit indirekt zu klären, anstatt andere Menschen jetzt in der Gegenwart für das Ausagieren seiner Übertragungen zu benutzen, ist die Übertragungsproblematik entschärft.

> **Bei schwierigeren Übertragungen sollte immer ein Psychotherapeut hinzugezogen werden**

> **Ein Berater sollte im Rahmen einer Psychotherapie selbst ausführlicher an seinen eigenen Übertragungen gearbeitet haben, um in seiner Praxis mit diesem Phänomen korrekt umgehen zu können**

Gegenübertragungen

Wenn ein Klient eine Übertragung gegenüber seinem Berater zeigt, kann es sein, daß dieser seinerseits in eine Gegenübertragung geht. Beispiel: Der Klient lobt den Berater zu jeder möglichen und unmöglichen Gelegenheit, um von ihm gemocht zu werden. Grund: Sein Vater reagierte auf Lob stets positiv. Der Berater wird symbolisch als Vaterfigur gesehen und ist jetzt Ziel einer entsprechenden Übertragung. Der Berater reagiert, indem er dem Klienten zeigt, daß er ihm besonders zugetan sei, daß er ein „guter" Klient sei und weint sich vielleicht bei ihm sogar aus über andere „schlechte" Klienten, also solche, die ihn nicht ständig loben oder negative Übertragungen mit dem Berater laufen haben. Grund: Der Berater nimmt die Rolle des Vaters an, der in seiner eigenen Kindheit in bezug auf dieses Thema ähnlich wie der Vater des Klienten reagierte und gibt deswegen dem „lieben Kind", das ihn lobt, seinerseits positive Rückmeldungen.

Im Rahmen eines solchen Spieles kann natürlich nicht mehr viel Entwicklungsarbeit stattfinden. In der Beziehung findet jetzt nur noch das gegenseitige „Vorzeigen von Familienfotoalben" statt.

Der positive Sinn von Übertragungen

Nichts in der Natur ist ohne Sinn – auch der Mechanismus der Übertragungen und Gegenübertragungen nicht. Durch den Aufbau von Übertragungsmustern, vornehmlich in der Kindheit und in geringerem Umfang in der Jugend und der Zeit des Erwachsen-Seins, bekommen Menschen die Fähigkeit, sich ohne viel nachdenken zu müssen, in eine bestehende soziale Ordnung einzufügen und dort durch die bei diesem Prozeß entstehenden Gegenübertragungen der anderen Menschen akzeptiert zu werden. Übertragungen sind wie Zahnräder bei der Vernetzung von einzelnen Individuen zu einer funktionierenden Gemeinschaft. Hinderlich

> **Übertragungen halfen in der Kindheit, von anderen Menschen akzeptiert zu werden**

werden diese an sich sehr sinnvollen Programme, wenn sie nicht ohne große Anstrengungen vom Bewußtsein wahrgenommen und bei Bedarf abgeändert werden können. Denn die Regeln des sozialen Miteinanders sind nicht überall gleich, und sie ändern sich auch ständig in kleinem und großem Umfang. Ist die Fähigkeit zum Mitfließen, zur Homöostase, durch die sinnvolle Anpassung der Übertragungs-

Gegenübertragungsmuster nicht ausreichend gegeben, entstehen Mißverständnisse, unnötige Feindseligkeiten und die Isolation der einzelnen Personen nimmt zu – die Effektivität der Gemeinschaft nimmt in jeder Hinsicht ab.

Ich möchte dieses Kapitel abschließen, indem ich noch auf einige konkrete Arten von Abwehrmechanismen* näher eingehe, die Lernen und Wachsen, Heil- und Glücklichwerden langfristig be- oder verhindern können. Sigmund Freud und seine Tochter Anna erarbeiteten diese Strukturen und obwohl sicher einige Auffassungen der Freudschen Schule der Psychotherapie heute überholt sind, haben sich doch diese Teile der Klassischen Psychoanalyse auch in der nicht-medizinisch orientierten Lebensberatungspraxis bisher in vielen Jahren bestens bewährt.

Wichtig ist vielleicht noch in diesem Zusammenhang, daß die einzelnen Arten der Abwehr in der Praxis nicht so sauber voneinander getrennt erscheinen, wie es hier vielleicht erscheint. Sie gehen eher fließend ineinander über, ergänzen sich, wechseln sich ab. Außerdem haben praktisch alle Formen der Abwehr neben ihrer disharmonischen Erscheinungsform wichtige und sehr nützliche Aufgaben im menschlichen Leben. Leider fehlt mir an dieser Stelle der Platz, dies im einzelnen näher auszuführen. Ich verweise deswegen auf das weiter oben über die Sabotageprogramme erklärte und auf das Kapitel „Reframing" in „Das Handbuch des Spirituellen NLP", Walter Lübeck, Windpferd Verlag.

> **Die einzelnen Arten der Abwehr gehen in der Praxis meist fließend ineinander über**

---

* Die Abwehrmechanismen sind im Grunde verschiedene Ausprägungen einer Art hypnotischer Trance, in der die Wahrnehmung so stark eingeschränkt ist, daß die Wirklichkeit nur noch durch vom Unterbewußtsein zwangsweise verordnete Filter wahrgenommen werden kann. Ein wichtiges Buch zur Vertiefung ist: „Die alltägliche Trance", Stephen Wolinsky, Verlag Alf Lüchow. Der Autor geht davon aus, daß sich viele seelische Probleme aus der Tatsache ergeben, daß der Betroffene bei bestimmten Anlässen mit (un-)schöner Regelmäßigkeit in Trancen fällt, die ihn an der bewußten, situationsgerechten Bewältigung einer Herausforderung hindern. In diesem Buch wird erklärt, wie sich solche Trancen identifizieren und heilen lassen.

Verdrängung

Bedeutung: Das Bewußtsein wehrt sich gegen die Wahrnehmung eines Erlebnisses, bestimmter Gedanken, von Gefühlen, einer Verhaltensweise, eines Triebes (Sexualität, Aggression), einer Erinnerung oder Einstellung. Diese Inhalte werden dauerhaft in das Unbewußte abgeschoben. Die Verhaltensweise der Verdrängung ist der Gegensatz zur bewußten, verantwortlichen Auseinandersetzung mit Erfahrungen und Anteilen der eigenen Persönlichkeit und auch zum willentlichen Verzicht. Verdrängte Inhalte steigen in Träumen direkt oder in symbolischer Form in das Bewußtsein auf, auch über sogenannte Fehlleistungen (statt: „Oh, das finde ich aber toll!", kommt dann zum Beispiel unbeabsichtigt: „Oh, das finde ich aber tot!") kommen sie auf Umwegen an die Oberfläche. Je nach den Vorbedingungen können verdrängte Inhalte aber auch über körperliche Erkrankungen, beispielsweise Kopfschmerzen oder Übelkeit einen Weg aus dem Unterbewußtsein suchen. Das Ziel des Unterbewußtseins ist bei allen diesen Phänomenen, sich von verdrängten Inhalten zu entlasten, sie irgendwie auszuagieren und damit zumindest für eine gewisse Zeit den immensen Druck zu verringern, der das Wesen des Menschen belastet. Umfangreiche oder mit viel Energie geladene verdrängte Inhalte können über die oben dargestellten Entlastungsmechanismen die Möglichkeiten eines Menschen, sein Leben seinen Bedürfnissen entsprechend zu gestalten und zu genießen, unter Umständen drastisch einschränken. Deswegen sollten verdrängte Inhalte, je nach Art und Umfang, entweder in einer Lebensberatung oder einer Psychotherapie bewußt gemacht werden, damit sie verarbeitet und damit harmonisiert werden können. Ausnahmen gelten in der Regel für extrem traumatische Erlebnisse, die mit einer Amnesie überdeckt sind. Siehe unten.

> **Verdrängungen suchen sich irgendwie ihren Weg bis hin zur Bewußtwerdung – sei es über Träume oder körperliche Symptome**

Die Verdrängung ist die wichtigste und am meisten gebrauchte Form der Abwehr. Verdrängte Inhalte steigen leichter in Phasen tiefer Entspannung in das Bewußtsein. Menschen, die für sie sehr bedrohliche Inhalte verdrängt haben, meiden deswegen oft Zustände tiefer Entspannung oder versuchen, tiefe Entspannung nur kurzfristig auftreten zu lassen. Durch diese Eigenart können auch Schlafstörungen bedingt sein.

Beispiel 1: Wäre die bewußte Wahrnehmung bestimmter Tatsachen so belastend für den betreffenden Menschen, daß er nicht mehr für sich sorgen könnte oder daß er vielleicht sogar dauernden seelischen Schaden nehmen würde, ist die Verdrängung durchaus sinnvoll. Kriegsteilnehmer, die Schlimmes durchlitten haben, Unfallopfer und Opfer eines Kindesmißbrauchs oder einer Vergewaltigung verdrängen, „vergessen" oft die für sie zu belastenden Situationen, damit sie geistig funktionsfähig bleiben und ein halbwegs befriedigendes Leben führen können. Es ist in diesem Zusammenhang häufig zu beobachten, daß nur bestimmte, sehr belastende Details vergessen werden und damit die Erinnerung „geschönt" wird.

> **Die Verdrängung hilft dem Klienten, ein halbwegs normales Leben zu führen**

Nur besonders geschulte Psychotherapeuten sollten stark verdrängte traumatische Erfahrungen bearbeiten. Hier endet die Zuständigkeit des Lebensberaters.

Ein sinnvoller Gebrauch der Verdrängung im Alltag besteht darin, daß zum Beispiel ein Impuls zu sexueller Betätigung, der während der Arbeitszeit durch irgendeinen Reiz ausgelöst wird, in das Unterbewußtsein abgeschoben wird, weil jetzt einfach nicht die passende Gelegenheit ist, ihn auszuleben. Später in der Freizeit, kann er in einer entspannten Situation wieder auftauchen und angemessene Berücksichtigung finden.

Beispiel 2: Wenn ein Mensch in einer Partnerschaft sehr unglücklich ist, viel mit seinem Gefährten streitet, sich unverstanden fühlt und seinen Freunden gegenüber immer betont, wie glücklich er in seiner Beziehung sei, und dies in dem Moment auch tatsächlich für wahr hält, liegt hier eine Verdrängung vor.

Rationalisierung

Bedeutung: Nachträgliche verstandesmäßige Scheinbegründungen für Handlungen, Gefühle, Gedanken, deren wirklicher Grund unbewußt ist oder dem Bewußtsein so unangenehm ist, daß es schnellstmöglich versucht, sich selbst zu beschwindeln.

> **Rationalisierung – verstandesmäßige Scheinbegründung für Handlungen mit unbewußter Ursache**

Beispiel 1: In Gesellschaften mit extremer körper- und lustfeindlicher Konditionierung, wie etwa in erzkatholischen Regionen, waren Rationalisierungen seit jeher ein „piece des resistance". Angefangen beim Meßwein (warum ist ist dafür Alkohol nötig?) über die Klosterdestillerien mit ihren berühmten Kräuterbränden (sind natürlich nur als Heilmittel gedacht) und leichtgeschürzte Bildnisse der Jungfrau Maria (natürlich nur zur Illustration der Bibel, um den Glauben zu mehren), bis hin zu den Kirchweihfesten, wo feiern zur Ehre Gottes erlaubt war. Im heutigen Alltag helfen Rationalisierungen, wenn Menschen über ihre Gefühle reden möchten, aber gleichzeitig große Vorbehalte vor dem Ausdruck derselben besteht.

Beispiel 2: Wenn randalierende Demonstranten ihre gewalttätigen Aktionen damit begründen, die Gesellschaft damit aufrütteln zu wollen, handelt es sich um eine Rationalisierung, damit keine Verantwortung für die den Handlungen zugrundeliegenden Aggressionen übernommen werden muß.

Substitution

Bedeutung: Verschiebung des Gefühlserlebnisses auf Ersatzobjekte.

Beispiel 1: Vielen Tierphobien (=Ängsten vor Tieren) liegt eine Verschiebung einer Angst zugrunde. Eine Angst vor einem Menschen wird auf ein Tier übertragen.

Beispiel 2: Wenn ein Vorgesetzter gerade einen Untergebenen wegen einer Nichtigkeit angebrüllt hat, was dieser mit scheinbarem Gleichmut über sich ergehen ließ, aber hinterher in der Kantine die Serviererin wegen einer fleckigen Tasse anpöbelt, handelt es sich auch um Substitution.

Projektion

Bedeutung: Projektionen sind Merkmale, Gefühle, Einstellungen oder Verhaltenselemente, die eigentlich der eigenen Persönlichkeit zugehören, aber nicht als solche erlebt werden; sie werden vielmehr Objekten oder Personen* in der Umwelt zugeschrieben und bei diesen dann als auf einen selbst gerichtet erlebt, statt umgekehrt.

Die Projektion ist eine sehr häufig anzutreffende Form der Abwehr.

Beispiel 1: Der Projizierende ist sich zum Beispiel nicht gewahr, daß er andere zurückweist, indem er sie schroff abfertigt und glaubt stattdessen, die anderen stießen ihn zurück und würden ihn nicht mögen.

Beispiel 2: Ein Mensch beklagt sich ständig über die sexuellen Annäherungsversuche anderer und merkt dabei nicht, daß er selbst ständig flirtet und zweideutige Bemerkungen macht.

---

* Lesetip: „Das Projektionsprinzip"

Identifizierung

Bedeutung: Man schlägt sich auf die Seite des Angreifers oder der die eigenen Ansprüche versagenden Autorität und macht sich dabei deren Gebote zu eigen.

Beispiel 1: Eine typische Erfahrung nach dem Vietnamkrieg war, daß amerikanische Kriegsgefangene, die längere Zeit Folter und Gehirnwäsche hatten erleiden müssen, ihre Folterknechte in Schutz zu nehmen und ihr Verhalten zu rechtfertigen suchten.

Beispiel 2: Eine Frau, die längere Zeit von ihrem Partner geschlagen und mißhandelt wurde, flüchtet in ein Frauenhaus. In Gesprächen mit Therapeutinnen stellt sie sich aber immer schnell auf die Seite ihres Mannes und erklärt, warum er so handeln muß, nennt eigene „Verfehlungen" und seine schlimme Kindheit als Gründe für sein objektiv unentschuldbares Verhalten.

> **Bei der Identifizierung sucht der Klient die Schuld eines anderen bei sich selbst**

Überkompensation

Bedeutung: Wettmachen eines Minderwertigkeitsgefühls durch besondere, meist verkrampfte, oft aber erfolgreiche Anstrengungen.

Beispiel 1: Ein Mensch, der sich als zu kurz gewachsen betrachtet, ist nicht nur beruflich extrem ehrgeizig, sondern versucht auch privat in Wettbewerbssituationen immer ganz vorne zu sein. Ja, er richtet möglichst viele Situationen in seinem Leben als Wettbewerbe aus oder wertet sie so und versucht jedesmal zu gewinnen.

Beispiel 2: Jemand hält sich für häßlich und achtet deswegen auf besonders modische Kleidung, ein gepflegtes Äußeres und gutes Benehmen, daß er bis zur Perfektion treibt.

Unterdrückung

Bedeutung: Aufsteigende Gefühle wie Weinen oder Aggression oder andere Bewußtseinsinhalte (zum Beispiel Namen) werden durch Anspannung „unten gehalten".

Beispiel 1: Wenn jemand raucht, weil er nervös ist oder Angst hat, unterdrückt er damit diese Gefühle.

Beispiel 2: Der Name einer bestimmten, an sich gut bekannten Person kann von jemandem nicht erinnert werden, als ihn ein Freund danach fragt.

Wie sollte nun mit den verschiedenen Formen der Abwehr umgegangen werden?

In der Lebensberatung werden keine medizinischen Aufgaben übernommen. Die hier dargestellten Abwehrmuster sind dementsprechend nicht pathologisch zu verstehen. Sie stellen Verhaltensweisen dar, die auch im Alltag von im medizinischen Sinne durchaus gesunden Menschen verwendet werden. Deswegen reicht es für den Lebensberater völlig aus, seinen Klienten im Falle des Auftretens von Abwehrverhalten dabei zu helfen, sich dessen bewußt zu werden und die Auswirkungen dieser Muster auf ihr Leben zu verstehen sowie alternative Verhaltensweisen einzuüben. Mit Methoden der Orakelarbeit kann weiterhin zum Beispiel abgeklärt werden, warum die jeweilige Abwehr entstanden ist und was bei ihrer Harmonisierung (Sabotageprogramme!) zu beachten ist. Energiearbeitstechniken und anderes kann dann den Prozeß der Verhaltensänderung angemessen unterstützen und so schneller, einfacher und effektiver ablaufen lassen.

> **Im Falle des Auftretens von Abwehr sollte der Berater diese dem Klienten bewußt machen**

Läßt sich bei einem Klienten die Abwehr nicht auf diese Art bearbeiten, sollte der ergänzende Besuch bei einem Psychotherapeuten zur fachlichen Abklärung der Situation empfohlen werden.

Widerstand

- versorgt sich mit
  zeitlicher Überbelastung
- täuscht Entwicklung vor
- Autoschlüssel/Geld verlegt
- zu spät kommen
- Klient braucht Geld
  für anderes
- Klient will Berater beraten
- Klient braucht Beratungen
  nicht mehr

Abwehr

- Identifizierung
- Projektion
- Substitution
- Scheinrationalisierung
- Verdrängung
- Unterdrückung
- Überkompensation

Abwehr
Sabotageprogramme
Widerstand

Sabotageprogramme

- überleben
- Lebensfreude/„Körperglück"
- Abgrenzungsfähigkeit
- soziale Beziehungen
- individuelle Lebensgestaltung
- Lebenssinn erfüllen

Kapitel XI

Ein ganzheitliches Modell von Gesundheit, Krankheit und Heilung

Die Weltgesundheitsorganisation definiert Gesundheit folgendermaßen:
„Gesundheit ist der Zustand völligen körperlichen, geistigen, seelischen und sozialen Wohlbefindens."

Nach dieser doch sehr weitgefaßten Begriffsbestimmung gibt es wohl kaum irgendwo gesunde Menschen. Oder wenn, jedenfalls nur für kurze Momente. Die WHO-Definition von Gesundheit als Grundlage für die Betreuung durch Ärzte, Psychiater und andere Vertreter medizinischer Berufe zu verwenden, ist meines Erachtens weder möglich noch sinnvoll, da der derzeitige Ausbildungsstand und die Art der Praxisführung nur wenige „Medizinprofis" in die Lage versetzen würde, den im Sinne der WHO nicht gesunden Menschen bei der Gesundung zu helfen. Außerdem würde unter der zusätzlichen, ungeheuren Last eines derartigen Vorhabens die Finanzierung unseres Gesundheitssystems mit absoluter Sicherheit vollends zusammenbrechen. Hier sind meiner Auffassung nach, zumindest in weiten Bereichen, eher Betätigungsfelder für Lebensberater gegeben. Doch fahren wir weiter fort, den Begriff „Gesundheit" einzukreisen.

Eine etwas engere Definition von Gesundheit lautet:
„Gesundheit ist das subjektive Empfinden des Fehlens körperlicher, geistiger und seelischer Störungen und (störender) Veränderungen."

Krankheit wird im engeren Sinne wie folgt definiert:
„Krankheit ist das Vorhandensein von subjektiv empfundenen, beziehungsweise objektiv feststellbaren, körperlichen, geistigen beziehungsweise seelischen Veränderungen (gegenüber dem Normalzustand), beziehungsweise Störungen."
Wenn krankhafte Veränderungen im Sinne der Schulmedizin nicht nachgewiesen werden können, besteht keine Krankheit. Die angegebenen Definitionen wurden in Anlehnung an die entsprechenden Texte des „Pschyrembel Klinisches Wörterbuch" und des „Pschyrembel Wörterbuch Naturheilkunde", de Gruyter Verlag, formuliert.
Natürlich sind diese Begriffsbestimmungen von Gesundheit und Krankheit immer noch recht ungenau. Es geht hier doch letztlich immer wieder um das Gefühl von Gesundheit oder Krankheit und auch um bestimmte, je nach Zeitalter, ethnischer und sozialer Herkunft, Lebensalter und persönlicher Einstellung und Informationsstand durchaus unterschiedliche Auffassungen, was krankhafte Symptome denn überhaupt sind.

> Die Auslegungen der Begriffe von Krankheit und Gesundheit sind je nach Standpunkt verschieden bis total gegensätzlich

Wie würden zum Beispiel ein westlicher Schulmediziner und ein Sioux-Medizinmann die folgende Geschichte beurteilen:
„Ein Indianer begibt sich auf eine gefährliche Visionssuche in die Einsamkeit der Natur. Er bringt sich dort rituelle Verletzungen bei, bis er aus mehreren Wunden blutet, um in einen höheren Bewußtseinszustand zu gelangen, der ihm, wie er aus der jahrhundertelangen Erfahrung seiner Ahnen weiß, helfen kann, den Sinn seines Lebens besser zu erfassen und sich entsprechend zu entwickeln. Mit der Zeit bekommt er Visionen von Göttern, Ahnen und Fabelwesen, die mit ihm sprechen, ihn Verschiedenes lehren und ihn so seinem Ziel, der spirituellen Selbstfindung, näherbringen."
Ein akademisch orientierter westlicher Arzt würde hier sicher eine ernste geistig-seelische Erkrankung diagnostizieren, käme einer seiner Klienten mit einer solchen Story.

Der Sioux-Medizinmann würde im Gegenteil eher zu der Ansicht kommen, daß hier jemand sehr gesund und weise gehandelt und viel zur Aufwertung seiner Lebensqualität getan hat. Einen Anlaß für einen Besuch bei einem Psychiater würde er wohl kaum sehen. Vielleicht würde er sogar den oben erwähnten Arzt für gestört halten ...

Gesunde Lebensprozesse beinhalten nicht nur angenehme Gefühle und ein geordnetes Leben, sondern auch vielfältige leidvolle und chaotische Erfahrungen. Sogar Erkrankungen können zu einer besseren Gesundheit im höheren, spirituellen Sinne beitragen. Es kommt letztlich nur darauf an, wie mit derartigen Erfahrungen umgegangen wird, was aus ihnen gemacht wird.

Novalis, ein visionärer Dichter des 19. Jahrhundert meinte dazu:

„Krankheiten, besonders langwierige, sind Lehrjahre der Lebenskunst und der Gemütsbildung ... Noch kennen wir nur unvollkommen die Kunst, sie zu benutzen."

> **„Krankheiten sind Lehrjahre der Lebenskunst"**

Der Philosoph Friedrich Nietzsche erkannte sehr klar die Schwierigkeit einer absoluten Begriffsbestimmung von Gesundheit und Krankheit, indem er schrieb:

„Denn eine Gesundheit an sich gibt es nicht, und alle Versuche, ein Ding derart zu definieren, sind kläglich mißraten. Es kommt auf Deine Ziele, Deinen Horizont, Deine Kräfte, Deine Antriebe, Deine Irrtümer und namentlich auf die Ideale und Phantasmen Deiner Seele an, um zu bestimmen, was selbst für Deinen Leib Gesundheit zu bedeuten habe. Somit gibt es unzählige Gesundheiten des Leibes."

Er ergänzt in einem anderen Text:

„Nun haben wir inzwischen verlernt, zwischen gesund und krank von einem Gegensatz zu reden: es handelt sich um Grade – meine Behauptung in diesem Fall ist, daß, was heute ‚gesund' genannt wird, ein niedrigeres Niveau von dem darstellt, was unter günstigeren Umständen gesund wäre, daß wir relativ krank sind ... Der Künstler gehört zu einer noch stärkeren Rasse. Was uns schon schädlich, was bei uns krankhaft wäre, ist bei ihm Natur."

Gesundheit und Krankheit lassen sich also nur sehr grob objektiv definieren. Verschiedene geschichtliche Epochen, verschiedene Kulturen, ja sogar verschiedene soziale Schichten verstehen diese Zustände sehr unterschiedlich. Es ist zum Beispiel für viele Menschen normal, eine Sehhilfe in Form einer Brille oder Kontaktlinsen benutzen zu müssen, weil ihre Augen ohne diese Krücken ihre Funktion nicht in angemessener Qualität erfüllen könnten. Nur selten käme bei einer Befragung ein Brillenträger auf die Idee, sich wegen seines Sehfehlers als „krank" zu bezeichnen. Ähnliches gilt für Verdauungsstörungen, Kurzatmigkeit oder Hautunreinheiten oder Cellulitis.

Nach diesem kurzen Ausflug ist eine gewisse Verwirrung darüber, was denn nun Gesundheit, Krankheit und Heilung eigentlich sind, wohl unvermeidlich. Für meine Arbeit verwende ich die folgenden Begriffsbestimmungen, die ganz bewußt individuell und prozeßorientiert dargestellt sind:

„Ein Zustand körperlicher Gesundheit ist vorhanden, wenn die Leistungsfähigkeit des Körpers ausreicht, das anfallende private und berufliche Arbeits- und Belastungspensum zur Zufriedenheit des entsprechenden Menschen zu bewältigen. Zufriedenheit heißt hier, daß keine so große Notwendigkeit für die nachhaltige Verbesserung körperlicher Funktionen gesehen wird, daß entsprechende Bemühungen zur Aufwertung des körperlichen Zustandes eingeleitet werden, bis sich eine meßbar höhere Leistungsfähigkeit, die für ausreichend im oben angegebenen Sinne befunden wird, ergeben hat.

Eine umfassende Definition von Gesundheit

Ein Zustand seelisch-geistiger Gesundheit ist vorhanden, wenn die seelisch-geistige Leistungsfähigkeit ausreicht, mit den entsprechenden privaten und beruflichen Leistungsanforderungen, den Beziehungen zu anderen Menschen, zum eigenen Körper und Selbst, zu dem Rest der Schöpfung so umzugehen, daß keine so große Notwendigkeit für die nachhaltige Verbesserung der geistig-seelischen Funktionen gesehen wird, daß entsprechende Bemühungen zur Harmonisierung und Stärkung des geistig-seelischen Zustandes eingeleitet werden, bis sich ein für den Menschen nachhaltig so befriedigender Zustand ergeben hat, so daß die Bemühungen um weitere Verbesserungen abgebrochen werden."

Diese zwei Definitionen sind sehr hilfreich, wenn es um die Einschätzung der tatsächlichen Veränderungs- und Wachstumsmotivation von Klienten geht. Um ihnen dabei zu helfen, ihr Bewußtsein für Gesundheit, Krankheit und Heilung zu entwickeln, verwende ich folgende Orientierungen:

➤ Konkrete (objektive) Anzeichen eines körperlichen Gesundungsprozesses sind für mich im Rahmen einer Lebensberatung unter anderem: Steigerung der Langzeitbelastbarkeit (Kondition / Ausdauer); Zuwachs an Muskelkraft; Wegfallen von Schmerzen, die die Nutzung bestimmter, erwünschter Körperfunktionen einschränken; Verbesserung der Elastizität von Muskeln und Sehnen und eine damit einhergehende Verbesserung der Beweglichkeit; stärkere mechanische Belastbarkeit der Knochen; Verkürzung von Erholungszeiten; bessere Koordinierung von Bewegungsabläufen, verbesserte Funktion der Sinnesorgane und der Auswertung der so gewonnenen Informationen (Wachheit, Interesse an der Umwelt).

> **Die objektiven Anzeichen von körperlichen und geistig-seelischen Gesundungsprozessen**

➤ Anzeichen eines geistig-seelischen Gesundungsprozesses sind im Rahmen eines Lebensberatungsprozesses für mich unter anderem: vermehrte, bewußte und vertiefte Empfindung von Gefühlen; häufigeres Treffen von Entscheidungen über Angelegenheiten des eigenen Lebens, wenn sich die Notwendigkeit ergibt und Bemühen, diese Entscheidungen nachhaltig durchzusetzen; geringere Gier, weniger Neid und Eifersucht – stärkeres Engagement für Beschäftigungen, die als sinnvoll und freudvoll empfunden werden; die anwachsende Fähigkeit und das Bemühen, die Struktur des eigenen Lebens und des Umfeldes besser verstehen und die eigenen Gefühle dazu besser wahrnehmen zu können; ein anwachsendes Gefühl von Verbundenheit mit anderen Wesen und dem Rest der Schöpfung; eine zunehmende Fähigkeit, Ansprüchen anderer nur dann und in dem Maße zu entsprechen (ohne Schuldgefühle zu empfinden), wie es für die eigene Person als sinnvoll und freudvoll erlebt wird.

Für erfolgreiche Lebensberatungen ist es wichtig, die Begriffsbestimmung von Gesundheit und Krankheit auf zwei Arten vorzunehmen: zum einen als prozeßorientierte, rein individuelle Definition, damit der Klient den unbedingt nötigen Freiraum hat, sich dann und auf die Art zu entwickeln, wie es von ihm als passend empfunden wird. Zum anderen sollte der Lebensberater sich auf die Wahrnehmung der Anzeichen von körperlichen und geistig-seelischen Gesundungs- und Erkrankungsprozessen im oben geschilderten – nicht schulmedizinischen – Zusammenhang verstehen, um seinem Klienten Rückmeldungen über den Verlauf seiner Entwicklung zu geben und ihm so bei der Entwicklung seiner Selbstwahrnehmung zu helfen. Das Auge kann sich selbst ohne Spiegel nicht sehen und so ist es für einen Klienten wichtig, durch seinen Berater eine Außenorientierung für seinen Wachstumsprozeß zu haben. Ohne „Manöverkritik" geschieht es sonst sehr leicht, daß der Lebenszug unter Volldampf und mit größter Euphorie in eine Sackgasse fährt.

> **Der Lebensberater gibt dem Klienten Rückmeldungen über seine Entwicklung und hilft ihm so, seine Selbstwahrnehmung zu entwickeln**

Verwendet der Berater, außer natürlich in objektiven Notfällen, ganz bewußt prozeßorientierte und individuelle Begriffsbestimmungen von Krankheit und Gesundheit, so wird er bedeutend weniger mit Widerständen seiner Klienten gegen seine Entwicklungsanregungen zu kämpfen haben. Nur ein Mensch, der sich im ganzheitlichen Sinne krank fühlt, unglücklich fühlt, wird sich aus seiner Misere herausentwickeln wollen. Beurteilt ein anderer ihn als krank oder unglücklich, obwohl er sich nicht so fühlt, wird er dieser Beurteilung wahrscheinlich Widerstand entgegensetzen; sie erscheint ihm unangemessen. Und wer richtet sich schon gern und hochmotiviert nach unpassenden Beurteilungen.

> **Wenn ein Klient sich nicht krank fühlt, wird er gegen eine solche Einschätzung Widerstand entwickeln**

Direkt für die Lebensberatungspraxis bedeutet das: es bringt überhaupt nichts, wenn ein Berater mit seinem Klienten darüber streitet, ob letzterer nun unglücklich, erfolglos und krank ist oder nicht. Fühlt der Klient sich nicht so, wird er Widerstand gegen diese Belagerung leisten. Stattdessen sollte immer dort gearbeitet werden, wo ein Klient sich zu schwach, unglücklich oder irgendwie anders gehandicapt fühlt. Hier wird er mitarbeiten und die Beratung kommt schneller voran und damit auch leichter in die Bereiche, wegen deren Disharmonie der Berater andernfalls noch hätte mit seinem Klienten streiten müssen.

Zum Abschluß des Kapitels noch drei Denkanregungen zum Thema Gesundheit und Krankheit aus ganzheitlicher Sicht:

> ➤ Wer nicht lernt und wächst, wenn sich passende Gelegenheiten dazu bieten, wird krank, erfolglos und unglücklich.
> ➤ Unausgewogenes Lernen und Wachsen – vergleiche Kapitel VIII: „Angemessenheit bei der Bearbeitung von Problemen" – macht unglücklich, erfolglos und krank.
> ➤ Ausgewogenes Lernen und Wachsen macht glücklich, erfolgreich und gesund.

Mit Ausgewogenheit, beziehungsweise Unausgewogenheit ist hier gemeint, daß zu Zeiten gelernt wird, die dafür geeignet sind. Es werden also günstige Gelegenheiten genutzt, die die Entwicklung gleichermaßen fordern und begünstigen.

Dabei werden die Bereiche des Körpers, des Geistes und der Seele bevorzugt entwickelt werden, die am meisten hinter der Entwicklung der anderen Bereiche hinterherhinken.

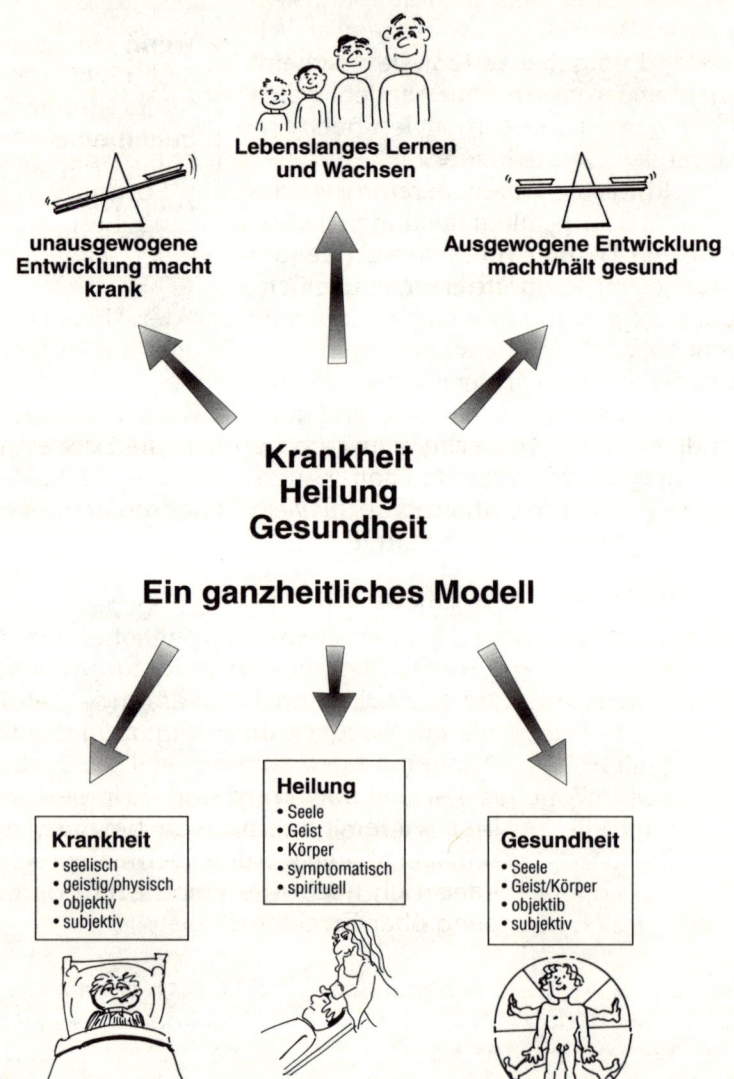

Lebenslanges Lernen
und Wachsen

unausgewogene
Entwicklung macht
krank

Ausgewogene Entwicklung
macht/hält gesund

Krankheit
Heilung
Gesundheit

Ein ganzheitliches Modell

Krankheit
• seelisch
• geistig/physisch
• objektiv
• subjektiv

Heilung
• Seele
• Geist
• Körper
• symptomatisch
• spirituell

Gesundheit
• Seele
• Geist/Körper
• objektib
• subjektiv

Kapitel XII

Systematische Problemanalyse und Wohlgeformte Zielbestimmung

Bevor wir uns um die Vorgehensweise bei der Analyse und der sinnvollen Lösung von Problemstellungen kümmern, möchte ich noch zwei in diesem Zusammenhang wichtige Begriffe definieren.

Ziele

➤ bezeichnen einen *Endzustand*, der erreicht werden soll,
➤ den man *prüfen* und *nachmessen* kann.

Wünsche

➤ geben *grobe Handlungsrichtungen* vor, die zwar innerlich begeistern können, aber nicht zu nachhaltigen, konkreten, zielgerichteten Anstrengungen führen, weil sie zu allgemein, zu unbestimmt sind. Erfolge können hier weder systematisch bewirkt, noch nachgemessen werden. Dementsprechend kann sich auch hier keine echte Befriedigung über Erreichtes einstellen.

Systematische Problemanalyse

Um ein Problem auch wirklich zu lösen, ist es wichtig, die diesbezügliche Motivationsstruktur näher zu beleuchten, nach verdeckten Motiven zu fahnden, verborgene Kräfte zu wecken und allgemein das Bewußtsein bezüglich des Problems und seines Umfeldes zu fördern. Dazu gibt es eine nette Technik.

> ➤ *Schritt 1:* Wenn das Problem gelöst wäre, was könnte der Klient dann, was er vor der Lösung des Problems nicht konnte? Was würde er also mit der neuen, verbesserten Ausgangsbasis beginnen, welche Wünsche/Ziele würde er nun versuchen zu erreichen?
> ➤ *Schritt 2:* Wenn auch das nächste Ziel erreicht wäre, welche Möglichkeiten stünden dem Klienten nun zur Verfügung, die er vorher nicht hatte? Was würde er mit ihnen beginnen? Welche Ziele würde er nun zu erreichen suchen?
> ➤ *Schritt 3:* Wie gehabt.

Das Ganze wird solange wiederholt, bis Berater und Klient das Gefühl haben, die Motivationsstruktur gut genug erfaßt zu haben, um in die Wohlgeformte Zielbestimmung einzusteigen. Es gibt sowenig ein objektives Ende für den Prozeß der Systematischen Problemanalyse, wie für den Prozeß des Lebens an sich. Es liegt in der Natur des Menschen, nach immer neuen Ufern zu streben. Auch wenn zu einer bestimmten Zeit ein Ziel als das Letzte, Größte, Einzige angesehen und mit aller Kraft angestrebt wird – einmal erreicht, beginnt der Blick zu wandern, um nach neuen Herausforderungen Ausschau zu halten.

Es liegt in der Natur des Menschen, nach immer neuen Herausforderungen Ausschau zu halten

Die Systematische Problemanalyse ist darüber hinaus wichtig, weil sich des öfteren schnell dabei herausstellt, daß die tieferen Ziele viel einfacher zu erreichen sind, als die offensichtlicheren.

Beispiel:
Das Problem ist die Förderung der Karriere. Es soll eine bestimmte, wesentlich besser bezahlte Stellung erreicht werden. Bei dem ersten Schritt der Systematischen Problemanalyse stellt sich heraus, daß der Klient sich nun mittels des zusätzlich verdienten Geldes ein Wertpapierdepot zulegen wollte, um sich „sicherer" zu fühlen, obwohl er objektiv in durchaus abgesicherten finanziellen Verhältnissen lebt. Nachdem dieser Punkt erreicht ist, arbeitet der Berater mit ihm an seinem Sicherheitsbedürfnis. Mittels Methoden wie beispielsweise Heilsteinarbeit oder NLP könnte nun die innere Struktur des Klienten gestärkt werden, die dafür zuständig ist, ihn mit einem Gefühl von Geborgenheit zu versorgen. Nachdem diese Verbesserung seiner Situation in einigen Folgesitzungen erreicht werden konnte, erscheint ihm das Streben nach der besser dotierten Stelle nicht mehr so wichtig, zumal er sich durch die Lebensberatung darüber bewußt geworden ist, daß er in der höheren Position viel mehr Streß und deutlich weniger Freizeit hätte. Dadurch müßte er seine Familie, seine Hobbies und seinen großen Freundeskreis vernachlässigen. Dabei machen gerade diese Bereiche seines Lebens sehr viel von seinem Glück aus. Wäre einfach

> **Das erwünschte Ziel hätte sich ohne die Systematische Problemanalyse schnell als Sackgasse erwiesen**

ohne die Systematische Problemanalyse einzuschalten an der Karriere gewerkelt worden, wäre viel Zeit, Geld und Energie in ein glückloses Vorhaben investiert worden.

Die Wohlgeformte Zielbestimmung

Es gibt eine Technik der systematischen Problemanalyse durch die sogenannte „Wohlgeformte Zielbestimmung" die im NLP* entwickelt worden ist. Ich wende sie immer wieder seit Jahren in meinen Lebensberatungen mit Erfolg an.**

➤ 1. Beschreibung des Ziels: Die Zieldefinition sollte so genau wie nur möglich sein. Viele Menschen wehren sich gegen eine Erforschung und Konkretisierung ihrer Wünsche, weil sie damit natürlich viele Illusionen und den bequemen – weil weitgehend verantwortungslosen – Kinderstatus aufgeben müssen. Als Erwachsener eigenverantwortlich über sein Leben zu bestimmen ist zwar zugegebenermaßen mühsam, dafür ist die Befriedigung von Wünschen und der Erfolg im Leben aber nicht mehr von der Gnade und der Zuwendung anderer abhängig. Ist der Widerstand gegen die genaue Erarbeitung von Zielen und der Planung des Weges zu ihrer Verwirklichung*** sehr groß, muß zuerst diese Abwehr bearbeitet werden, denn diese Haltung wird generell im Leben des Betroffenen für viele Probleme sorgen.

Wie sehen nun genaue Zielbeschreibungen aus? Beispiele: Wie reich ist reich in dem Wunsch: „Ich möchte reich sein!"? Ein Einkommen von DM 10.000 im Monat oder von DM 20.000 oder wieviel genau? Ein Vermögen von DM 1.000.000 oder von DM 10.000.000 oder wieviel genau?

Eine genaue Zielbeschreibung ist sehr wichtig

Wenn das Ziel ist: „Ich möchte meinen Traumpartner finden!", wie muß der Traumpartner genau aussehen, was muß er sagen, welche Lebenseinstellungen soll er haben,

---

* NLP = Neurolinguistisches Programmieren. Eine in den 70er Jahren in den USA. von Richard Bandler und John Grinder entwickelte Methode zur Verbesserung von Kommunikation und zur Veränderung problematischer Denk-, Wahnehmungs- und Verhaltensweisen.
** Lesetip: „Das Handbuch des Spirituellen NLP", Windpferd Verlag.
*** Vergleiche dazu Kapitel X „Widerstand, Abwehr und Sabotageprogramme"

wie soll er sich in welchen, dem Klienten wichtigen Situationen verhalten? Welche Hobbies soll er haben, welche auf keinen Fall? Womit sollte er sein Geld verdienen, womit nicht? Wenn das Ziel ist: „Ich möchte eine bessere Wohnung haben!": Wie groß soll sie genau sein, was für Menschen sollen in der Nachbarschaft wohnen, soll ein Garten dabei sein oder nicht, soll es ein ganzes Haus oder ein Appartement sein? Wie hoch müssen die Decken sein und welche Heizung wird bevorzugt? Wird Verkehrslärm toleriert? Dürfen Strommasten in der Nähe stehen? Ist ein leichter Zugang zu öffentlichen Verkehrsmitteln wichtig? Wie weit dürfen Einkaufsmöglichkeiten und Restaurants entfernt sein? Und so weiter und so fort.

Zu der Beschreibung des Zieles gehört auch eine Unterteilung in Teilziele, gerade wenn es um ein größeres Vorhaben geht. Große Ziele sind meist nur langfristig zu erreichen. Wenn lange Zeit vergeht, bis das Ziel in erreichbare Nähe rückt, geht einem aber schnell die Puste, sprich die Motivation, aus. Genauso wie es bei der Tour de France genau definierte Wegstrecken und Etappenziele gibt, sollte auch jeder Mensch

| **Größere Ziele sollte man in Teilziele unterteilen** |

seine großen Vorhaben in kleine, aufeinander aufbauende Leistungen zerlegen. Im Idealfall kann er so täglich feststellen, ob er sein Soll erfüllt hat oder nicht und rechtzeitig nachbessern, bevor größere Lücken entstehen. Regelmäßig kann er so Befriedigung über seine Teilerfolge empfinden und er bleibt gefühlsmäßig motiviert.

Auch für den Lebensberater ist generell bei Beratungen eine genaue Festlegung von Teilzielen wichtig. Er kann ebenfalls nicht sein Bestes geben, wenn er nicht zwischendurch immer wieder Erfolgserlebnisse sammeln kann. Außerdem fällt es ihm so leichter, passende Methoden zur Erreichung der Teilziele für den Klienten auszuwählen und einzusetzen.

➤ 2. Woran kann der Klient konkret feststellen, daß er sein Ziel erreicht hat? Es ist sehr wichtig, eine Meßlatte zur

Verfügung zu haben, mit deren Hilfe sich bestimmen läßt, ob das Ziel schon erreicht ist oder wie nahe man ihm gekommen ist. Ohne diese Hilfe kann sich ein Zustand nachhaltiger Befriedigung über die eigene Leistung nicht einstellen. Die Überprüfung muß dabei in zwei Ebenen aufgeteilt werden: die subjektive und die objektive. Also an welchen Gefühlen kann die Erreichung von Teilzielen und Gesamtziel festgestellt werden und an welchen für jeden einsichtigen äußeren Umständen ist zu ersehen, daß Etappen und Endziel verwirklicht sind?

Zum Beispiel „Ich möchte reich sein.": Ich weiß, daß ich reich bin, wenn ich einen Brief meiner Bank mit Kontoauszügen erhalte, ihn öffne und die Zahl 2.500.000 DM im Habenfeld sehe. Dabei nehme ich Wärme im Bauchraum wahr und Zufriedenheit und Sicherheit erfüllen mich. Ich lehne mich in meinem Sessel zurück, schaue durch das große Fenster in den Garten vor meinem Haus und sage zu mir: „Das hast Du gut gemacht!".

Zum Beispiel „Ich möchte meinen Traumpartner kennenlernen!": Ich weiß, daß ich meinen Traumpartner gefunden habe, wenn ich ihm in die Augen schaue und sehe, daß er mich warm anlächelt, von ihm höre, wie er in einem bestimmten Tonfall sagt: „Ich liebe Dich und möchte mein Leben mit Dir teilen!" und dabei spüre, wie er meine Hände sanft streichelt. Ich merke bei mir ein Kribbeln im Bauchraum, und Wärme steigt in mir auf. Vor Glück möchte ich am liebsten laut jubeln.

Zum Beispiel „Ich möchte eine schöne Wohnung haben.": Langsam gehe ich durch die Räume, messe sie genau aus und stelle fest, daß hier genug Platz für mein Hab und Gut ist. Nicht zu viel und nicht zu wenig. Einen Moment bleibe ich vor dem großen Fenster im Wohnzimmer stehen und genieße den Blick auf den Rasen und die possierlichen Gartenzwerge und Bambis darauf.

Was genau ist eine „genaue Zielbeschreibung"?

Ich stelle mir vor, wo meine Möbel genau stehen werden und fühle mich wohl bei dem Gedanken, hier eine Ölzentralheizung zu haben, anstatt immer Kohlen für den Ofen schleppen zu müssen. In mir breitet sich langsam ein Gefühl von „zu Hause sein" aus.

Je genauer das Ziel herausgearbeitet wird, desto klarer wird der Klient sich auch über seine tatsächlichen Bedürfnisse und desto eher und leichter kann er auch bekommen, was er braucht. Allein dies ist schon ein wichtiges Stück Selbstfindung. Gleichzeitig kann der Berater viel besser Hilfestellung leisten. Tappt er überwiegend im dunklen darüber,

> **Ein klares Ziel informiert über die tatsächlichen Bedürfnisse**

was sein Kunde eigentlich will, und muß er es erst mühsam und zeitaufwendig mit „try und error" herausfinden, ist die Zusammenarbeit für beide sehr unbefriedigend.

➢ 3. Erst wenn Endziel und Teilziele genau bestimmt sind, kann überprüft werden, ob es unter realistischer Einschätzung der Lebensumstände des Klienten wirklich sinnvoll ist, das gewählte Ziel anzustreben.

Dazu müssen die folgenden Fragen beantwortet werden: Welche Konsequenzen hätte es, wenn das Ziel tatsächlich erreicht wird, für:

    a. die Beziehungen zur Familie des Betreffenden,
    b. die Beziehungen zu Freunden,
    c. die Beziehungen zu Kollegen und Geschäftspartnern,
    d. die eigene Gesundheit,
    e. den Beruf,
    f. die Verfolgung anderer wichtiger Ziele?

➢ 4. Hat das Vorhaben auch diese Prüfung überstanden, sollte geklärt werden, welche Hindernisse wohl insgesamt und auf den einzelnen Etappen zu erwarten sein werden. Wenn in der Vergangenheit schon mal Erfahrungen mit dem Streben nach diesem Ziel gesammelt worden sind: welche Hindernisse gab es damals? Welche davon wurden mit welchen Mitteln beseitigt und welche ließen sich nicht beseitigen? Welche der bekannten Hindernisse werden höchstwahrscheinlich bei dem nächsten Anlauf wieder auftauchen und welche neuen Wege zu ihrer Überwindung gibt es, die unter realistischer Einschätzung lohnenswert erscheinen?

➤ 5. Meist taucht schon während der Bearbeitung des letzten Schrittes die Notwendigkeit auf, eine genaue Bestandsaufnahme der Kraftquellen, Verbündeten, Informationen und anderen Hilfsmittel, die der Klient zur Erreichung seines Zieles einsetzen kann, durchzuführen. Stehen nicht genügend Hilfen zur Verfügung, sollte zuerst dafür gesorgt werden, diesen Mangel zu beheben, bevor das Ziel in Angriff genommen wird. Außerdem sollte geklärt werden, ob der Klient das Ziel alleinverantwortlich erreichen kann. Oder ist es dazu notwendig, daß zum Beispiel erst ein Lottogewinn mit mindestens sechs Richtigen erzielt wird? Bei solchen Vorbedingungen steht die ganze Sache auf sehr wackligen Beinen, und ich würde statt hier weiterzumachen lieber nach anderen, realistischeren Zielen Ausschau halten.

> **Welche Hilfen stehen dem Klienten zur Erreichung seines Zieles zur Verfügung?**

➤ 6. Zu guter Letzt baue ich gerne eine Sicherheitsmaßnahme ein, um festzustellen, ob der Plan wirklich reif ist zur Durchführung. Im Rahmen einer kleinen Phantasiereise führe ich den Klienten durch einen Tag nach der Verwirklichung seines Zieles in der Zukunft.

Er soll nun anhand der Eindrücke, die er bei dieser Erkundungsreise gewinnt, noch einmal über die Wahrnehmung seiner dabei auftretenden Gefühle und sachlichen Wahrnehmungen feststellen, ob es wirklich das ist, was er will und was ihn nachhaltig befriedigt. Häufig kommt bei diesem Schritt erst der tatsächliche Widerstand zum Vorschein, der die Erreichung des Zieles bisher verhindert hat. Nun kann diese Abwehr bearbeitet und aufgelöst werden, damit das Tor zum Glück sich endlich öffnen kann. Oder es stellt sich heraus, daß das angestrebte Ziel ungeeignet ist. Immerhin ist es besser, dies noch im Planungsstadium herauszufinden und nicht, wenn schon der halbe Weg zurückgelegt ist.

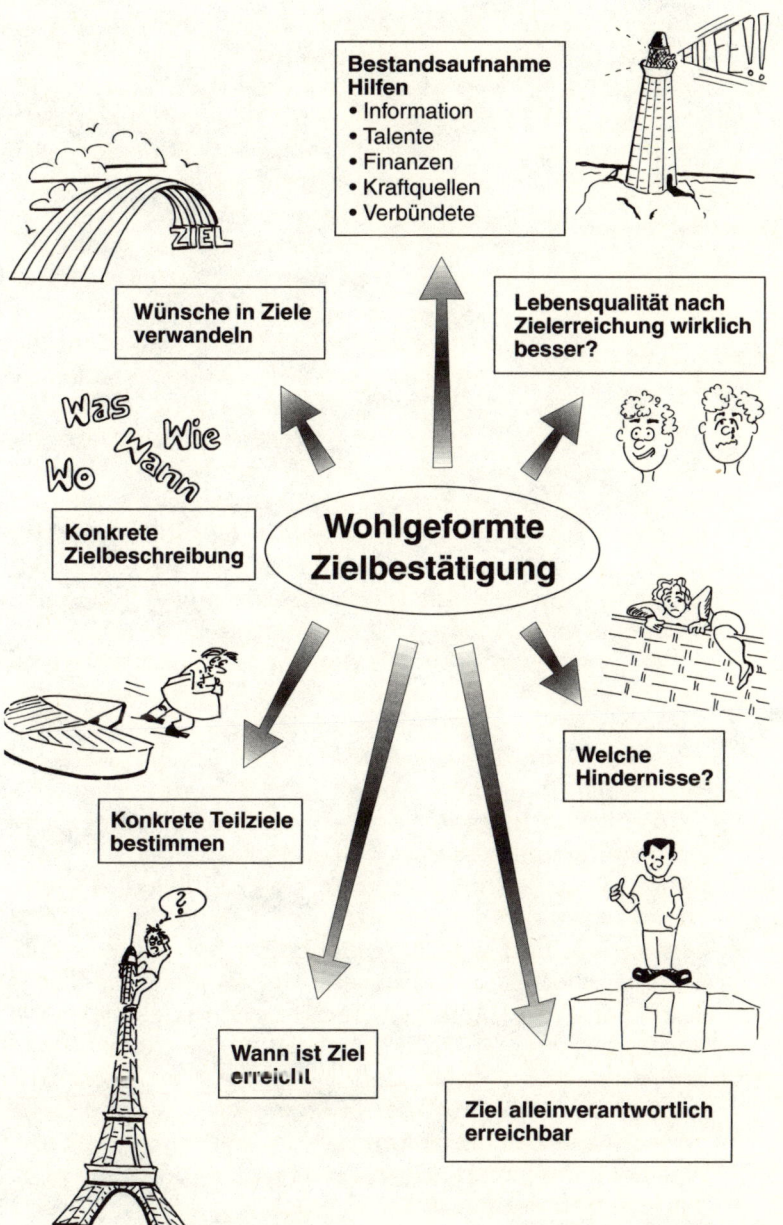

Bestandsaufnahme
Hilfen
• Information
• Talente
• Finanzen
• Kraftquellen
• Verbündete

ZIEL

Wünsche in Ziele
verwandeln

Lebensqualität nach
Zielerreichung wirklich
besser?

Was Wie
Wo Wann

Konkrete
Zielbeschreibung

**Wohlgeformte
Zielbestätigung**

Welche
Hindernisse?

Konkrete Teilziele
bestimmen

Wann ist Ziel
erreicht

Ziel alleinverantwortlich
erreichbar

Kapitel XIII

Wann muß dem Klienten der Besuch bei einem Mediziner angeraten werden?

Wenn ein Klient erklärt, seelisch oder körperlich krank zu sein und deswegen zur Lebensberatung zu kommen, um sich untersuchen, eine Diagnose stellen und um sich heilen zu lassen, muß der Berater unbedingt und mit Nachdruck klarmachen, daß medizinische Diagnosen und Therapien in der Lebensberatungspraxis nicht durchgeführt werden und daß der Klient umgehend einen Mediziner konsultieren sollte. Wird dieser Sachverhalt nicht unmißverständlich klargestellt, sind juristische Schwierigkeiten wegen eines Verstoßes gegen das Heilpraktikergesetz nicht mehr fern und auch ethisch ist diese Unklarheit meiner Ansicht nach nicht vertretbar. Ein Nicht-Mediziner kann nun mal einem Kranken in bezug auf die Diagnose und Therapie der medizinischen Symptome seiner Krankheit keine angemessene Betreuung zukommen lassen. Nicht nur das: Der Kranke kann sogar durch die unterbliebene Versorgung schweren Schaden erleiden und schlimmstenfalls deswegen sterben.

Es ist in diesem Zusammenhang nicht Aufgabe des Lebensberaters, zu entscheiden, ob der Klient zu einem Mediziner gehen sollte oder nicht. Auch dies würde bereits in den Rahmen einer medizinischen Konsultation gehören. Zwar kann und soll die Tätigkeit des Lebensberaters ja unter anderem die Gesundheit stabilisieren helfen, aber sie ist keinesfalls ein Ersatz für medizinische Betreuung. Dies ist manchen Klienten nicht unbedingt wirklich klar, wenn sie die Tür zur Praxis öffnen. Deswegen sollte, um Mißverständnisse zu vermeiden, gleich bei dem ersten Kontakt die Thematik der Lebensberatung beschrieben werden.

Auch wenn der Klient sich nicht offen über seinen gesundheitlichen Zustand äußert, gibt es einige Fälle, in denen der Berater unbedingt eine medizinische Konsultation empfehlen sollte:

➤ Wenn der Eindruck einer Geisteskrankheit entsteht. Geisteskrank ist jemand, der in einem Zustand ist, der ihm nicht erlaubt, Recht oder/und Unrecht zu erkennen oder gemäß diesen Einsichten zu handeln.

➤ Bei Suizidgefahr. Werden Selbstmordgedanken geäußert, ist unter Umständen Gefahr im Verzuge. Hier muß umgehend ein Psychotherapeut eingeschaltet werden.

➤ Liegt Suchtverhalten wie: Alkohol- oder Drogensucht, Spielsucht, Magersucht und ähnliches vor.

➤ Wenn Ängste bedrohliche und den Alltag nachhaltig bestimmende Ausdrucksformen annehmen. Zum Beispiel, wenn ein Mensch nur unter größten Willensanstrengungen noch das Haus verlassen kann oder wenn er keinen Fahrstuhl mehr benutzen kann.

➤ Zeigt der Klient deutliche Symptome von körperlichem Verfall, Verwahrlosung oder geistiger Verwirrtheit.

➤ Bei selbstschädigendem Verhalten.

➤ Wenn Zwangshandlungen feststellbar sind, also zum Beispiel, wenn ein Klient sich ständig, ohne nachvollziehbare Gründe zu haben, die Hände wäscht.

➤ Wenn massive Formen von Abwehr und Widerstand im Laufe der Beratung auftreten, in bezug auf die der Klient trotz eingehender Beratung keine Einsicht und grundsätzliche Kontrolle erlangt, sollte ein Psychotherapeut eingeschaltet werden.

➤ Besteht der Verdacht eines sexuellen Mißbrauchs oder eines anderen schweren Traumas, sollte ein Psychotherapeut eingeschaltet werden.

➤ Wird der Klient gewalttätig oder zeigt regelmäßig Krisen, in denen er nicht oder kaum ansprechbar ist, sollte ein Psychotherapeut eingeschaltet werden.

➤ Macht der Klient den Eindruck von Hinfälligkeit oder zeigt er auch einem Laien bekannte Symptome einer Erkrankung.

In bestimmten Fällen sollte der Lebensberater einen Besuch beim Mediziner empfehlen

Diese Liste erhebt keinen Anspruch auf Vollständigkeit oder rechtliche Richtigkeit. Sie soll lediglich grundsätzliche Orientierungen und Anregungen für die Praxis geben. Im Einzelfall muß jeder Lebensberater aufgrund der jeweiligen Rechtslage (die sich leider oft ändert) und seines Gewissens entscheiden.

In diesem Zusammenhang erinnere ich an das erste Kapitel, in dem eine ausführliche Beschreibung der Tätigkeit des Lebensberaters zu finden ist. Dort ist auch ein Beispieltext abgedruckt, der Mißverständnissen vorbeugen hilft.

Letzten Endes muß dies aber jeder Lebensberater aufgrund der Rechtslage und seines Gewissens entscheiden

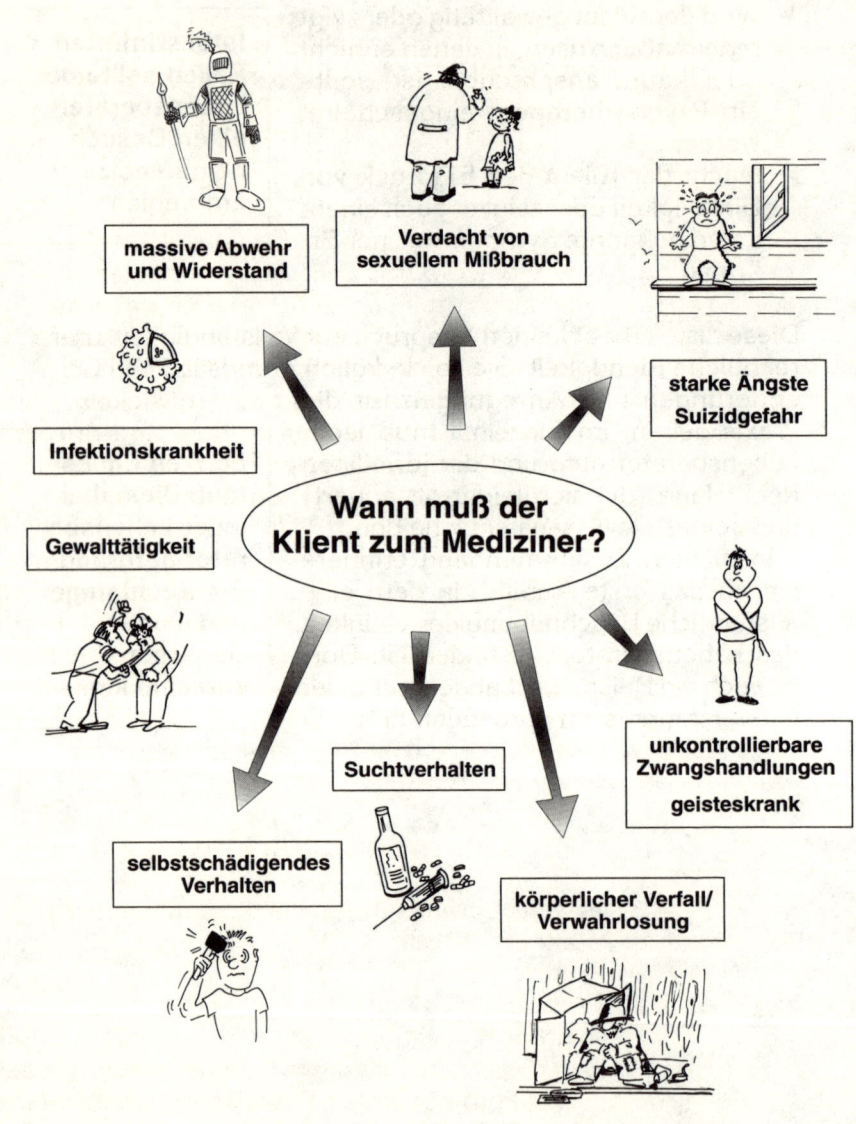

massive Abwehr und Widerstand

Verdacht von sexuellem Mißbrauch

starke Ängste Suizidgefahr

Infektionskrankheit

Gewalttätigkeit

Wann muß der Klient zum Mediziner?

Suchtverhalten

unkontrollierbare Zwangshandlungen

geisteskrank

selbstschädigendes Verhalten

körperlicher Verfall/ Verwahrlosung

Der Beruf „Lebensberater" als Weg der Persönlichkeitsentwicklung: Chancen und Sackgassen

Wer einen Beruf über Jahre engagiert ausübt und sich stetig bemüht, mit den unvermeidlichen Höhen und Tiefen immer besser und zentrierter umgehen zu lernen, wird sich auf seinem persönlichen Weg weiterentwickeln, seine Talente zur Entfaltung bringen und um sich herum Sinn und Glück fördern. So ist der Idealfall – aber wer ist schon „ideal?"

Wir können und sollten sicher versuchen, diesem Ideal immer wieder nahezukommen. Auf diesem Weg gibt es einige Fallgruben zu überwinden. Es hilft sehr, diese zwar für jeden unterschiedlich anmutenden, aber im Kern sehr ähnlichen Sackgassen vorher kennenzulernen und sich rechtzeitig über Auswege zu informieren. Dafür ist dieses Kapitel da.

Die vier großen Sackgassen

Es gibt grundsätzlich vier verschiedene Arten, mit dem Beruf des Lebensberaters langfristig umzugehen:

1. Der Hingebungsvolle
In diesem Fall wird der Lebensberater mit der Zeit immer weniger Privatleben haben. Seine berufliche Rolle wird mehr und mehr alle anderen Anteile seiner Persönlichkeit vereinnahmen. In seiner „Freizeit" wird er sich über seine Klien-

ten Gedanken machen, Fachbücher lesen, überwiegend Klienten in seinem
privaten Bekanntenkreis haben und in
privaten Gesprächen schwerpunktmäßig Fachthemen einbringen. Zu jeder
Tages- und Nachtzeit ist er für seine
Klienten zu sprechen – sei es am Telefon oder direkt. Immer hat er ein offe-
nes Ohr für ihre
Sorgen und Nöte.
Immer gibt er sein
Bestes, ihnen weiterzuhelfen. Irgendwann ist er dann ausgebrannt, bekommt
vielleicht psychosomatische Erkrankun-
gen aufgrund seiner Einseitigkeit, seiner Überspanntheit, seiner Unausgeglichenheit. Oft wird er mit dieser Einstellung
zynisch gegenüber seinem Beruf und seinen Klienten. Innerlich hat er schon gekündigt, äußerlich macht er noch weiter,
weil er vielleicht sein soziales Ansehen, sein Einkommen nicht
gefährden will. Gerade sehr engagierte und sensible Berater
sind sehr anfällig für diese Art Sackgasse.

> **Der Hingebungs-
> volle macht nie
> eine Pause**

2. Der Abspalter
Der Lebensberater verhält sich hier im Beruf ganz anders
als in seinem Privatleben. Er bemüht sich darum, beides
fein säuberlich voneinander zu tren-
nen. Seine Devise ist: Von 10 Uhr
bis 13 Uhr berate ich, dann habe ich
eine Stunde Mittagspause, da haben
Klienten in meiner Nähe nichts zu
suchen. Von 14 Uhr bis 19 Uhr ist
dann wieder Job angesagt. Danach
beginnt endlich die heiß ersehnte
Freizeit. Der Beruf sichert ihn finan-

ziell ab oder ist für ihn wichtig, um „etwas darzustellen".
Seine Klienten zählen grundsätzlich nicht zu seinen privaten
Bekannten, sie „brauchen nichts über seinen Privatbereich
zu wissen" und haben in seiner Wohnung oder an seinem

privaten Telefon nichts verloren. Die Familie, ein Hobbie oder sein Freundeskreis sind für ihn vielleicht sein sicherer Hafen, seine Puppenstube, in der es keine größeren Schwierigkeiten gibt (zu geben hat). Die Schwierigkeiten aus dieser Verhaltensweise ergeben sich eben aus der strikten Trennung von Job und Privatleben. Um diese durchzuhalten, müssen die Inhalte des jeweils gerade nicht anstehenden Bereiches verdrängt werden. Wenn der Privatbereich außerdem einseitig als Kraftquelle und Bereich der Harmonie definiert wird, kann

> **Der Abspalter trennt Beruf und Privatleben fein säuberlich voneinander ab**

sich hier nicht mehr sehr viel Leben abspielen. Der Abspalter beutet sein privates Umfeld aus, um sich mit den nötigen Ressourcen für seine Arbeit zu versorgen. Das kann nicht ewig gut gehen. Auch in der Familie und unter Freunden muß es Raum für Auseinandersetzungen und Disharmonie geben. Sonst bleibt die menschliche Wärme nicht erhalten, die Ehrlichkeit in der Beziehung vergeht. Gleichzeitig kann sich der Abspalter nicht wirklich auf seinen Beruf einlassen – denn dazu ist es eben auch mal ab und an nötig, nach der Arbeitszeit über Klienten und ihre Themen nachzudenken. Egal wo sich der Abspalter einbringt, er ist nie voll da.

3. Der Perfektionist

Der Lebensberater versucht hier in seinem Privatleben und seinem Job gleichermaßen perfekt und glänzend zu sein. Menschliches Versagen in Beziehungen, daß er bei seinen Klienten durchaus akzeptiert,

> **Der Perfektionist duldet an sich keine Fehler – Profis machen keine Fehler!**

ist in bezug auf ihn selbst, den Profi, nicht zu tolerieren, einfach unentschuldbar. Schließlich hat er doch so was gelernt! Kommen Fehler dennoch vor, müssen sie entweder versteckt werden – und machen dann natürlich Schuldgefühle – oder es muß eine „eigentlich richtige Vorgehensweise" sein, die einfach so genial ist, daß die anderen, die Nicht-Profis sie natürlich erst nach seiner Erklärung verstehen können.* Der Perfektionist wird sich mit seinem Verhalten mit der Zeit systematisch überfordern. Seine Handlungen und seine bewußten Absichten werden sich immer weiter voneinander entfernen und er wird zunehmend unglaubhafter in den Augen seiner Umwelt werden. Menschliche Nähe kann er kaum erleben, denn sie wird für ihn zunehmend gefährlich werden, da ja hier Gelegenheiten auftreten können, bei denen er Fehler macht. Außerdem wird er mit seinen Vollkommenheitsansprüchen schnell seiner Umgebung unheimlich werden.

4. Der Freibeuter

Der Lebensberater nutzt hier die Beziehungen zu seinen Klienten und seine beruflichen Fähigkeiten im Privatleben für sich rücksichtslos aus. Von Vertretern dieser Gruppe werden auch am häufigsten sexuelle Übergriffe an Klienten begangen oder wirtschaftliche Vorteile durch Beeinflussung von Klienten gesucht. Freibeuter versuchen weiterhin Abhängigkeiten seitens ihrer Klienten ihnen gegenüber zu fördern, um ihr Ego zu stärken.

> **Der Freibeuter nutzt seine beruflichen Beziehungen für sein Privatleben voll aus**

Wirtschaftlich sind sie häufig auch recht erfolgreich – kein Wunder bei ihrer Vorgehensweise. Auch die fachlichen Qualitäten sind meist hoch. Sie werden nur durch die mangelnde menschliche Reife falsch eingesetzt.

---

* Vergleiche hierzu Kapitel X „Widerstand, Abwehr und Sabotageprogramme"

Der Abspalter
- privat alles „harmonisch"
- Familie und Freunde müssen ihn aufbauen
- trennt Beruf und Privatleben genau

Der Hingebungsvolle
- kein Privatleben
- burn-out
- spürt eigene Bedürfnisse nicht mehr
- opfert sich auf

Vier Archetypen des Lebensberaters

Der Freibeuter
- mißbraucht sein berufliches Wissen im Privatleben
- nutzt Klient aus

Der Perfektionist
- chronisch überfordert
- Schuldgefühle
- privat und beruflich fehlerlos
- Minderwertigkeitsgefühle
- Versagensangst

Wie lassen sich die Sackgassen umgehen?

Natürlich sind die hier dargestellten Typen etwas stark überzeichnet. In der Realität gibt es sie zwar auch in der beschriebenen Form – aber selten so heftig. Und es kommen selbstverständlich auch Mischformen mehrerer Typen vor. Trotzdem sollten diese Gefahren auf dem Weg nicht unterschätzt werden. Sie sind sehr real, wie jeder, der sich ein bißchen in der Szene auskennt, bestätigen wird.

Was kann ein Lebensberater angesichts solcher gar grauslichen Fallen tun, um sich nicht in ihnen zu verfangen? Nun, zuerst und am wichtigsten ist die genaue Kenntnisse dieser Verhaltensweisen und eine Überprüfung, welche konstitutionellen Neigungen individuell bestehen, die das Abrutschen in die eine oder andere Richtung wahrscheinlich erscheinen lassen. Jeder von uns neigt zu einem der vier Typen, und es kommt nur auf die innere Einstellung, die menschliche Reife und die äußeren Auslösefaktoren an, inwieweit die Anlagen harmonisiert werden können oder ausufern. Im Rahmen einer längeren Psychotherapie kann der Berater dann dafür sorgen, daß die Muster entschärft werden, die ihn in Schwierigkeiten bringen könnten. Trotzdem sollte durch das Führen eines Tagebuchs und regelmäßige Supervision immer wieder überprüft werden, ob sich nicht doch eine Disharmonie ausbreitet. Auf die Dauer ist dieser Weg der sicherste und einfachste. Wer versucht alleine klarzukommen, wird sich auch bei bestem Willen über kurz oder lang doch in Schwierigkeiten bringen. Wie schon des öfteren erwähnt: „Das Auge kann sich selbst nicht sehen!"

Abschließend möchte ich betonen, daß es den perfekten Lebensberater nicht geben kann – er ist meines Erachtens nicht wünschenswert. Fehlerhafte Menschen würden sich in der Gegenwart eines vollkommenen Artgenossen klein und häßlich fühlen und wohl kaum die Motivation entwickeln, sich selbst liebevoll anzunehmen, wie sie nun mal sind und das Beste daraus zu machen. Menschliche Reife, ein liebevoller, bewußter, eigenverantwortlicher Charakter, entwickelt sich aus der beständigen gütigen und verständnisvollen Auseinandersetzung mit den eigenen Schwächen und der Entfaltung der angeborenen Talente. Nicht mehr und nicht weniger.

Werden Fehler gemacht – und bemerkt – sollten ihre Auswirkungen, wenn möglich, harmonisiert werden und die Lernschritte gemacht werden, die dazu beitragen können, in Zukunft Besseres zu leisten. Schuldgefühle und Ignoranz sind hier gänzlich fehl am Platze.

Werden Fortschritte erzielt und gute, wichtige Dinge bewirkt, ist dafür ein Lob fällig und die Untersuchung, wie es noch besser und einfacher gemacht werden kann. Allerdings erst nach einer angemessenen Ruhepause und einer netten Feier ...

In diesem Sinne wünsche ich Dir eine glückliche, erfolgreiche und lange Tätigkeit als LebensberaterIn

Dein

Der richtige Umgang mit dem Telefon

Terminabsprachen und Erstkontakte werden in den meisten Fällen über das Telefon abgewickelt. Wer nicht gewohnt ist, im Rahmen der Lebensberatungspraxis mit diesem an sich sehr nützlichen technischen Helfer umzugehen, wird schnell einige Schwierigkeiten bekommen. Deswegen habe ich in diesem Anhang noch einige entsprechende Tips aufgeführt.

Die erste und wichtigste Regel ist: Beratungen am Telefon werden nur gegeben, wenn es unbedingt notwendig erscheint. Begründung: Über das Telefon ist eine Beratung nur begrenzt möglich. Der direkte Kontakt fehlt einfach und deswegen können wichtige Methoden wie Energie- und Körperarbeit nicht zum Einsatz kommen. Außerdem fehlt das persönliche Einlassen des Klienten in die Beratungsbeziehung.

Die zweite Regel lautet: Das Telefon ist im Rahmen der Lebensberatungspraxis in erster Linie für Terminabsprachen da und nicht zum Plauschen. Begründung: Es fällt vielen Klienten sowieso nicht leicht, mit ihren Problemen herauszurücken und bei der Bearbeitung derselben bei der Stange zu bleiben. Je mehr Auswege der Lebensberater durch unkonzentrierte Gesprächsführung, fehlende Abgrenzung zwischen privatem Plausch und Beratungsgespräch anbietet, desto eher kann der Klient sich um die Bearbeitung seiner Probleme drücken.

Die dritte Regel lautet: Ein Lebensberater sollte zu bestimmten, seinen Klienten bekann-

ten Zeiten, selbst am Telefon sein. Ansonsten läuft gna-
denlos der Anrufbeantworter. Begründung: Es ist wichtig
für die schnelle Vereinbarung von Terminen und eventuell
zum Abklären von Mißverständnissen und zur Vermittlung
wichtiger Informationen, telefonisch zu allseits bekannten
Zeiten erreichbar zu sein. Wenn außerhalb der Sprechzeiten aber das Telefon immer wieder abgehoben wird, wenn
nicht ungestört gearbeitet werden kann, wenn „Bürokram"
erledigt werden muß und wenn der Berater gerade eine Sitzung mit einem Klienten hat, wird der Fluß unterbrochen
und die Atmosphäre durcheinandergebracht. Keiner von
beiden kann sich wirklich einlassen, wenn zwischendurch
Telefonate stattfinden.

Kommentierte Bibliographie

Angst
„Umgang mit Angst", Horst-Eberhard Richter, Econ Verlag,
(ISBN 3-612-26059-6). Das Thema „Angst" hat unglaublich viele
Gesichter. Richter ist es gelungen die wichtigsten in seinem Buch zu
erklären und Lösungsansätze für diese Problematik aufzuzeigen.

„Grundformen der Angst", Fritz Riemann, Ernst Reinhardt Verlag.
Eine tiefenpsychologische Betrachtung über das Wesen der Angst,
geschildert anhand von vier Grundtypen der menschlichen Persönlichkeit. Seit vielen Jahren mit Recht ein Standardwerk.

Energiearbeit
„Lebens-Energie-Arbeit", Walter Lübeck, Windpferd Verlag,
(ISBN 3-89385-154-2). Eine praxisorientierte Beschreibung der
Grundlagen feinstofflicher Energiearbeit. Alle wichtigen Gebiete wie
Channeln, Schwarze und Weiße Magie, sinnvoller Umgang mit
Orakeln, spirituelle Philosophie, Rituale und feinstoffliche Helferkräfte
werden behandelt.

Feng Shui
„Die Kunst des Wohnens", Derek Walters, O. W. Barth Verlag,
(ISBN 3-502-67620-8). Für mich ist dieses Buch das deutschspra-
chige Standardwerk zum Thema. Der Autor, einer der ganz wenigen
Westler, die sich richtig gut im Feng Shui auskennen, erklärt hier bis
ins Detail, wie Feng Shui in Theorie und Praxis funktioniert. Wer mit
dem Buch ernsthaft arbeitet, ist in der Lage, selbst in gewissem
Umfang qualifizierte Feng-Shui-Beratungen zu geben.

„Das Feng Shui Set", Man Ho Kwok, Goldmann Verlag,
(ISBN 3-442-30661-2). Eine brauchbare und nicht zu umfangreiche
Einführung. Bemerkenswert, daß gleich ein Feng-Shui-Kompaß und
ein Spiegel mitgeliefert werden. Der Spiegel ist wohl eher ein
Gimmick, der Kompaß ist praxistauglich.

„Vom richtigen Wohnen", Philippa Waring, Hugendubel Verlag,
(ISBN 3-88034-830-8). Noch eine Einführung, die aber schon mehr
in Einzelheiten geht. Ein sonst kaum in deutscher Sprache zu
findender Abschnitt über Feng-Shui-Gartengestaltung ist sehr
interessant.

Fragetechnik

„Frag Dich vorwärts", Wolfgang Zielke, MVG Verlag,
(ISBN 3-478-02642-3). Das Thema „Fragen" wird hier erschöpfend besprochen. Ein kompetenter Umgang mit Fragetechniken ist eine wichtige Voraussetzung für erfolgreiche Lebensberatungen.

Gesundheit und Krankheit, ganzheitliche Konzepte

„Die Wissenschaftliche Homöopathie", Georgos Vithoulkas,
Burgdorf Verlag, (ISBN 3-922345-37-9). Der Autor ist einer der großen Homöopathen unserer Zeit. In diesem Buch handelt er die Gesetze ganzheitlichen Heilens auch für Laien verständlich und sehr ausführlich ab. Das einzige mir bekannte Werk, was in systematischer Form Krankheit, Gesundheit und Heilung wirklich umfassend darstellt. Man muß nicht Homöopath sein, um von diesem Buch zu profitieren. Nur wer beurteilen kann, ob sich der gesundheitliche Zustand eines Menschen aus ganzheitlicher Sicht bessert oder verschlechtert, kann wirklich kompetent mit alternativen Heilweisen umgehen. Hier ist das gesamte Know-How dazu dargestellt.

„Was ist heilen", Carlson/Shield, Kösel Verlag, (ISBN 3-466-34271-6). Berühmte Heilerinnen und Heiler beschreiben ihre Ansichten zum Thema. Das Buch liest sich spannend und ist zugleich sehr informativ. Wer sich mit ganzheitlicher Heilkunst befaßt, kann sich hier immer wieder wertvolle und praxisnahe Anregungen und Orientierungen holen. Unter anderem werden auch die folgenden Themen besprochen: „Die heilende Beziehung", „Die Rolle des Heilers", „Bewußtsein und Heilwirkung".

„Gesundheit, Schulmedizin, andere Heilmethoden", Andreas Resch (Hrsg.), Andreas Resch Verlag, (ISBN 3-85-382-042-5). Eine Reihe illustrer Autoren wie Burkhard Heim, F.-A. Popp, D. Aschoff und Martin M. Schönberger, haben hier sehr interessante, aber, durch ihren hohen fachlichen Standard bedingt, nicht immer ganz einfach zu verstehende Beiträge zur Verfügung gestellt. Wer auf alternativwissenschaftliche Weise ein besseres Verständnis von ganzheitlicher Medizin, ethnischer Heilkunde und spirituellem Heilen bekommen will, sollte den Wälzer unbedingt durchlesen. Bitte längere Bearbeitungszeit und ausführliche Denkpausen einplanen!

„Ganzheitliche Medizin", Helmut Milz, Athenäum Verlag,
(ISBN 3-7610-8421-8). Der Verfasser ist Arzt und verbrachte einen längeren Studienaufenthalt in den USA, währenddessen er dort entwickelte Konzepte ganzheitlicher Gesundheit und Medizin erforschte. In mehreren Interviews mit namhaften Vertretern dieser

Richtung werden unter anderem folgende Themen erörtert: „Neue Möglichkeiten der Schmerzbehandlung", „Biofeedback", „Feldenkrais", „Chinesische Medizin" und „medizinische Selbsthilfe".

Helfer-Syndrom
„Helfen als Beruf", Wolfgang Schmidtbauer, Rowohlt Verlag, (ISBN 3-499-19157-1). Sehr interessante Studie des Helfergewerbes, seiner Chancen und vielen Probleme. Pflichtlektüre für Lebensberater.

„Hilflose Helfer", Wolfgang Schmidtbauer, Rowohlt Verlag, (ISBN 3-499-19196-2). Über die Schwierigkeit, als Helfer langfristig mit dem Job glücklich zu werden und die Gefahren des Burnout. Ebenfalls Pflichtlektüre.

Konfliktlösungsstrategien
„Phänomen Konflikt", Frank D. Peschanel, Junfermann Verlag, (ISBN 3-87387-123-8). Viele Arten von Konflikten zwischen Einzelpersonen und Gruppen werden hier dargestellt und erklärt. Dies und eine breite Palette praxisorientierter Lösungsstrategien machen das Buch zu einem wertvollen Helfer bei der Beratung.

Lebensberatung
„Mind Fitness: Mentalberatung – Mentalgestaltung", Franz Decker, Verlag Bruno Martin, (ISBN 3-921786-73-8). Der Verfasser ist Universitätsdozent mit Doktortitel und Professur und verfügt über reichhaltige Erfahrung als Berater für Führungskräfte und Organisationen aller Art. In „Mind Fitness" stellt er seine Sichtweise von Lebensberatung vor. Etwas trocken-akademisch, aber als Übersicht und Anregung für eigene Ideen dennoch recht interessant. Leider werden viele Themen recht oberflächlich abgehandelt.

Nachschlagewerke
„Das ist Esoterik", Hans-Dieter Leuenberger, Bauer Verlag, (ISBN 3-7626-0621-8). Der bekannte Sachbuchautor handelt in diesem kleinen Büchlein einen großen Teil der hierzulande bekannten spirituellen Traditionen ab. Der Schwerpunkt liegt deutlich auf westlicher Esoterik. Trotz der Kürze ist die Darstellung nicht zu oberflächlich. Gut geeignet für Leute, die sich auf die Schnelle einen Überblick verschaffen wollen.

„Handbuch der Spirituellen Wege", Bruno Martin, Rowohlt Verlag, (ISBN 3-499-17909-1). Ähnlich wie das vorige Buch wird auch hier

ein kurzer Überblick geboten. Etwas ausgewogener vielleicht, weil die östliche Esoterik etwa gleichberechtigt vertreten ist. Der Sufismus wird relativ ausführlich erklärt. Sehr interessant die kurze, aber gehaltvolle Erläuterung von Begriffen wie „Spiritualität", „Spirituelle Suche", „Lehrer".

„Wegweiser Esoterik", Gerhard T. Schindler, Knaur Verlag, (ISBN 3-426-86087-2). Eine weitere Einführung in die Esoterik. Allerdings wesentlich umfangreicher als die beiden vorigen, sogar mit Darstellungen australischer, afrikanischer und Huna-Traditionen. Mit ausführlichen Literaturangaben und aktuellen Kontaktadressen.

„Das Handbuch der Mysterien und Geheimlehren", Bruno Nardini, (ISBN 3-442-12231-7). Spannend wie ein Roman liest sich diese chronologisch aufgebaute, umfangreiche Abhandlung über esoterische Wege, die für so einen Rundumschlag doch schon sehr genau in die Details geht. Es werden fast ausschließlich westliche Lehren erwähnt.

„Das Buch der Ganzheitlichen Gesundheit", Berkeley Holistic Health Center (Hrsg.), Knaur Verlag, (ISBN 3-426-04321-1). Noch ein Überblick, aber diesmal wesentlich stärker praxisorientiert. Orientalische, indianische und abendländische Heilsysteme mit ganzheitlichem Ansatz werden kurz dargestellt, um die Frage „Was ist ganzheitliche Heilkunde?" zu beantworten. Danach gibt es eine sehr informative Übersicht über Techniken und Praktiken der ganzheitlichen Heilkunde und eine Abhandlung über gesunde Lebensführung.

„Pschyrembel Wörterbuch Naturheilkunde", Walter de Gruyter Verlag; (ISBN 3-11-014276-7). Sollte als Nachschlagwerk im Bücherregal stehen. Wie im großen Bruder, der als Standardnachschlagwerk der Schulmedizin Unmengen von Auflagen, enormen Umfang und weite Verbreitung gefunden hat, ist diese Version des Pschyrembel für Naturheilkunde auf dem besten Weg, auch in diesem Themengebiet wegweisend zu werden.

„Das grosse Buch vom Geistigen Heilen", Dr. Harald Wiesendanger, Scherz Verlag; (ISBN 3-502-13851-6). Die wohl derzeit umfassendste Darstellung feinstofflich-energetischer Heilungsmethoden (Geistheilung), der entsprechenden Traditionen und der damit verbundenen Chancen und Probleme. Wo es angebracht ist, durchaus kritisch und im großen und ganzen gut recherchiert. Sehr empfehlenswert.

„Lexikon der östlichen Weisheitslehren", Scherz Verlag;
(ISBN 3-502-67404-3). Wer sich über Fachbegriffe und ganz
allgemein das Gedankengut von Buddhismus, Hinduismus,
Taoismus und verwandten Sachgebieten informieren möchte,
ist hier bestens bedient.

„Weltalmanach des Übersinnlichen", Heyne Verlag,
(ISBN 3-453-01618-1). Eine Sammlung von „seltsamen Phänomenen", wie etwa Atlantis, Ufos, Psi-Forschung, Lourdes und die
Intelligenz der Delphine. Ist aber durchaus als ernsthafte Informa-
tionsquelle nicht nur für „New-Age-Smalltalk" geeignet.

NLP (Neurolinguistisches Programmieren)
„Das Handbuch des Spirituellen NLP", Walter Lübeck,
Windpferd Verlag, (ISBN 3-89385-124-0). Eine ungewöhnliche
Abhandlung der Grundlagen des Neurolinguistischen Program-
mierens, der revolutionären neuen Psychotherapie-, Lern- und
Kommunikationsmethode aus den USA. Wichtiges Basiswissen
für Lebensberater, das sofort in der Praxis Probleme besser
lösen hilft. Im Gegensatz zu vielen anderen Büchern zum
Thema verständlich geschrieben.

„NLP in Stichworten", Thomas Rückerl, Junfermann Verlag.
Ein alphabetisch aufgebautes Lexikon des NLP. Bei weitem
nicht vollständig, aber dafür im großen und ganzen gut recherchiert und brauchbar. Das kryptische Fachchinesisch des NLP
wird mit diesem Buch wesentlich verständlicher.

Projektion
„Das Projektions-Prinzip", George Weinberg/Dianne Rowe,
Scherz Verlag. Ein ganzes Buch darüber, wie eigene, unerträgli-
che Vorstellungen, Gefühle und Wünsche unbewußt anderen
Personen oder Sachen zugeschrieben werden. Sehr wichtig für
Lebensberater.

Psychologie
„Körper, Selbst und Seele", Jack Lee Rosenberg,
Transform Verlag, (ISBN 3-926692-12-X).
Umfassende, systematische Darstellung moderner, auch
spiritueller, und klassischer Psychotherapiekonzepte in Theorie
und Praxis. Ganzheitliches Psychotherapieverständnis.

„*Psychologie für jedermann*", Pierre Daco, Weltbild Verlag, (ISBN 3-89350-680-2). Ausführliche und spannend geschriebene Darstellung der klassischen Ansätze der Psychotherapie, also: Freud, Adler, Jung. Aber auch Außenseiter, wie Mesmer, Babinsky und Coue und weniger bekannte Vertreter der Zunft, wie Janet und Watson kommen zu Wort. Wichtiges Basiswerk zum Verständnis von Psychotherapie und Psychiatrie.

„*Reif für die Couch*", Gabriele Wünsch, Mosaik Verlag, (ISBN 3-576-10343-0). Ein umfassender Psychotherapieratgeber. Was ist eigentlich Psychotherapie? Wie finde ich einen guten Psychotherapeuten? Welche Chancen und Risiken bietet Psychotherapie? Welche Richtungen gibt es? Wann werden Therapeuten gefährlich?

Recht
„*Rechtshandbuch für Heiler*", Dr. Bernhard Firgau, info Verlag Klaus Schlapps, (ISBN 3-31674-02-09). Der Verfasser ist promovierter Volljurist und gleichzeitig seit Jahren vertraut mit energetischen Heilweisen. In einzigartiger Weise ist in diesem Buch die ganze Palette von Rechtsproblemen im Bereich „Geistheilung" fachlich kompetent abgehandelt. Natürlich sind damit auch verwandte Verfahren wie Kinesiologie, Reiki, Polarity und so weiter abgedeckt. Ein „Muß" für jeden, der sich in diesem Metier als Amateur oder Profi bewegt.

Sabotageprogramme
„*Die alltägliche Trance*", Stephen Wolinsky, Verlag Alf Lüchow, (ISBN 3-925898-17-4). Der Verfasser geht davon aus, daß Menschen generell in Trancen, also Zuständen stark eingeschränkter Wahrnehmungs- und Urteilsfähigkeit leben. Durch diese Unbewußtseinszustände werden sinnvolle Wachstumsprozesse sehr erschwert. Das Buch zeigt Wege auf, die Trancen zu erkennen und sie aufzulösen, um Zugang zur Wirklichkeit und damit zu Glück, Erfolg und Heilung zu bekommen.

Selbsthilfegruppen
„*Selbsthilfegruppe*", Michael Lukas Moeller, Rowohlt Verlag, (ISBN 3-498-04259-9). Die Geschichte der Selbsthilfegruppen, ihre Möglichkeiten und ihre aktuelle Bedeutung werden ausführlich erläutert. Wer an einer Selbsthilfegruppe teilnehmen will oder Gruppen leitet, sollte dieses Buch kennen. Mit Adressenteil.

Schatten

„Die Schattenseiten der Seele", C. Zweig/J. Abrams (Hrsg.), Scherz Verlag. Eine Sammlung von Beiträgen fachkundiger Autoren, wie Marie-Luise von Franz, John C. Pierrakos und Sheldon B. Kopp über die verdrängten Seiten der menschlichen Persönlichkeit, wie sie zu erkennen sind, wie Licht in sie hineingebracht werden kann und damit wertvolle brachliegende Potentiale aktiviert werden können.

Therapeutische Schulen und Methoden

„Neue Entwicklungen in der Psychotherapie", John Rowan/ Windy Dryden (Hrsg.), Transform Verlag, (ISBN 3-926692-15-4). Die beiden Herausgeber, selbst seit vielen Jahren aktiv im Bereich der neuen Psychotherapien engagiert, haben hier sehr informative Beiträge hochkarätiger Vertreter dieser Systeme gesammelt. Nicht nur wichtig, um mitreden und -denken zu können, wenn von Biosynthese, Encounter und Transpersonaler Psychotherapie die Rede ist, sondern auch, um sich für die eigene Arbeit inspirieren zu lassen.

„Mit den Sternen zur richtigen Therapie", Roman Kess, Knaur Verlag, (ISBN 3-426-06019-1). Den Ansatz des Buches, über eine grobe astrologische Zuordnung für jedes Sternzeichen die passende Therapie zu ermitteln, finde ich zwar nicht sehr überzeugend, aber in anderer Hinsicht finde ich das Buch sehr interessant. Es werden nämlich eine Unmenge in jüngster Zeit entwickelte Psycho-, Körper und Energietherapien beschrieben. Wer sich schnell darüber informieren möchte, was zum Beispiel „Channelling-Analyse" oder „Eutonie" ist, ist hier genau richtig.

Vergebung

„Verstehen – Verzeihen – Versöhnen", Sidney und Suzanne Simon, Scherz Verlag. Wie man sich selbst und anderen vergeben lernt, Enttäuschungen und seelische Verletzungen überwindet, Selbstzweifel besiegt – und dadurch Lebensmut und inneren Frieden findet.

Adressen

Gegen Einsendung eines adressierten und ausreichend fran-
kierten Rückumschlages an untenstehende Adresse erhältst
Du die im Buch angesprochene Adressensammlung.
Schreib an:

Windpferd Verlag
„Handbuch für Lebensberater"
Postfach
D-87648 Aitrang

Walter Lübeck

Walter Lübeck, geboren am 17. Februar 1960 (Wassermann, Aszendent Schütze) lebt mit seiner Frau, der Philosophin und Schamanin Greta *Bahya* Hessel-Lübeck und dem gemeinsamen Sohn Julian im Weserbergland, einer mysthischen Landschaft mit vielen uralten Kraftplätzen, die ihn privat und beruflich inspirieren. Seit seiner Jugend interessiert er sich für Esoterik, Parapsychologie und alternative Heilweisen. Er ist in Deutschland, Österreich und der Schweiz als Seminarleiter tätig. Schwerpunkte seiner Arbeit sind: Das Usui-System des Reiki, Rainbow-Reiki, Energi- und Orakelarbeit (I Ging); Aura-/Chakralesen; ganzheitliches Geldtraining, Drei-Strahlen-Meditation und Spirituelles NLP.

In elf Büchern, die in neun Sprachen übersetzt sind, und diversen Beiträgen für Fachzeitschriften sind viele Ergebnisse seiner Forschungen dokumentiert.

Walter Lübeck orientiert sich an den drei spirituellen Prinzipien: Förderung der Eigenverantwortung, Entwicklung der Liebesfähigkeit und Erweiterung des Bewußtseins. Er sieht es als seine Aufgabe, spirituelles Wissen für die konkrete Verbesserung der Lebensqualität zu vermitteln und dazu beizutragen, Gott, Mensch und Natur mehr in Harmonie miteinander zu bringen.

Walter Lübeck

Handbuch des spirituellen NLP

Geistige Brücken, die Herz und Verstand auf harmonische Weise verbinden und eine neue Lebendigkeit bewirken

Spirituelles NLP ist die gelungene Kombination von verschiedenen bewährten therapeutischen Modellen zu einem Kurzzeit-Therapie-Programm auf spiritueller Basis: die Förderung von Liebe, Bewußtsein und Eigenverantwortung – eine konsequente Weiterentwicklung bewährter Methoden, um essentielle Aufgaben zu bewältigen und große Lebensziele zu erreichen – durch Einbeziehung des Inneren Kindes und des Höheren Selbst. Spirituelles NLP berücksichtigt im besonderen spirituelle Erkenntnisse über Sinn und Struktur der menschlichen Existenz.

272 Seiten, DM 24,80, SFr 23,00
ÖS 181,00 ISBN 3-89385-124-0

Jutta Mattausch

Die große Welle

„Die Essenz aller Yogas" · Die tibetische Übung für körperliche Vitalität und geistige Power

Eine spannende Geschichte, die im fernen Tibet spielt - und doch auch in uns allen an jedem Ort der Welt stattfinden könnte, denn sie handelt von der Reise zu uns selbst. Ob wir bei uns ankommen und uns dann vielleicht auch finden, hängt ab von unserer Bereitschaft, uns zu öffnen ...
Dieses völlig undogmatische Buch gibt die Möglichkeit, uns unterhaltsam und ganz ungezwungen mit einer der größten Religionen unserer Erde auseinanderzusetzen und uns von ihr berühren zu lassen.

120 Seiten, DM 19,80, SFr 19,00
ÖS 145,00 ISBN 3-89385-168-2

Christa Kössner

Handbuch für Singles, die es nicht länger bleiben wollen

Der erfolgreiche Weg, Zufriedenheit und Glück in einer von Liebe, Vertrauen und Verständnis geprägten Partnerschaft zu finden

Die Chance, Single zu sein oder Single zu werden, ist heute größer denn je. Auf dem Land wird schon jede dritte Ehe geschieden, in der Stadt jede zweite. Viele bleiben Single – die meisten unfreiwillig. Für diese wachsende Gruppe hat Christa Kössner dieses Buch geschrieben. Von der Single-Typologie über Single-Verhaltens-Symptome wie Fehlprogramme, Maskenspiele und Blockaden findet der Single hier ein Repertoire von verschiedensten Spiegelbildern, in denen er sich wiederfinden, woran er arbeiten und sich entwickeln kann.

208 Seiten, DM 29,80, SFr 27,50
ÖS 218,00 ISBN 3-89385-152-6

Walter Lübeck

LebensEnergieArbeit

Die Grundlagen der feinstofflichen Lebensenergiearbeit verstehen und kreativ einsetzen · Das Handbuch zur persönlichen und globalen Heilung

LEA – Lebensenergiearbeit – das sind alle Methoden, die mit der Wahrnehmung und Beeinflussung feinstofflicher Kräfte arbeiten, die Spiritualität auf praktische Art und Weise in unser Leben integrieren und natürliche Fülle und Harmonie verbreiten. Noch nirgends sonst wurden die Lebensenergien, mit denen spirituelle Systeme arbeiten, so ausführlich und differenziert dargestellt sowie praktische Anleitungen gegeben. Auch auf mögliche Probleme bei falscher Anwendung von Lebensenergie wird eingegangen, ebenso auf Visualisierung, Farbenenergieheilung, Atemarbeit und Rituale.

272 Seiten, DM 24,80, SFr 23,00
ÖS 181,00 ISBN 3-89385-154-2

Walter Lübeck

Das Reiki Handbuch

**Von der grundlegenden
Einführung zur natürlichen
Handhabung · Eine vollständige
Anleitung für die Reiki-Praxis**

Reiki bedeutet universelle Lebens-
kraft. Mit der Reiki-Energie läßt sich
das innere Selbst mit dem äußeren
Wirken in Harmonie bringen.
Der Autor, Walter Lübeck, ist prakti-
zierender und erfahrener Reiki-Mei-
ster und schreibt aus langjähriger
praktischer Erfahrung.
Im „Reki-Handbuch" werden die
Geheimnisse und die Anwendungs-
möglichkeiten dieser subtilen Heil-
kraft, und wie man sie erlangen
kann, umfassend beschrieben.
Es ist ebenso ein einführendes
Werk wie ein detailgenaues Lehr-
buch mit vielen Zeichnungen für
den eingeweihten Reiki-Praktizie-
renden.

256 Seiten, DM 24,80, SFr 23,00
ÖS 181,00 ISBN 3-89385-064-3

Franz Benedikter

Die Psyche streicheln

**Die Geheimnisse zärtlicher
Berührung · Wie durch Streicheln
Hormone freigesetzt werden,
die glücklich, gesund und schön
machen**

Durch sanftes Berühren bestimmter
Körperzonen werden entspannende
oder aktivierende und euphori-
sierende Hormone freigesetzt.
Franz Benedikter zeigt mit seinem
kompakten Übungsprogramm, wie
man durch Selbst- und Partner-
Massage, die eher ein zärtliches
Berühren ist, auf das gesamte
Wohlbefinden einwirken kann. Wie
neueste wissenschaftliche Erkenntnisse belegen, lösen Berührungen
der Haut hormonelle Reaktionen
aus. Endorphine bringen Glücksge-
fühle, erhöhen die Leistungsbereit-
schaft, heben das Lebensgefühl
und steigern die sinnliche Wahrnehmung.

144 Seiten, DM 19,80, SFr 19,00
ÖS 145,00 ISBN 3-89385-143-7